ACCESO GRATIS *a la Lectura en la Nube + Actualizaciones*

Para visualizar el libro electrónico en la nube de lectura envíe junto a su nombre y apellidos una fotografía del código de barras situado en la contraportada del libro y otra del ticket de compra a la dirección:

ebooktirant@tirant.com

En un máximo de 72 horas laborables le enviaremos el código de acceso con sus instrucciones.

AF276695

Texto refundido de la Ley del Estatuto Básico del Empleado Público

Procedimiento de selección de originales, ver página web:
www.tirant.net/index.php/editorial/procedimiento-de-seleccion-de-originales

Texto refundido de la Ley del Estatuto Básico del Empleado Público

(Real Decreto Legislativo 5/2015, de 30 de octubre)

9ª Edición

JOSÉ FRANCISCO BLASCO LAHOZ

Profesor Titular de Derecho del Trabajo y de la Seguridad Social
Universitat de València

tirant lo blanch
Valencia, 2026

© José Francisco Blasco Lahoz

© TIRANT LO BLANCH
EDITA: TIRANT LO BLANCH
C/ Artes Gráficas, 14 - 46010 - Valencia
TELFS.: 96/361 00 48 - 50
FAX: 96/369 41 51
Email: tlb@tirant.com
www.tirant.com
Librería virtual: www.tirant.es
DEPÓSITO LEGAL: V-1343-2026
ISBN: 979-13-7040-256-3

Si tiene alguna queja o sugerencia, envíenos un mail a: *atencioncliente@tirant.com*. En caso de no ser atendida su sugerencia, por favor, lea en *www.tirant.net/index.php/ empresa/politicas-de-empresa* nuestro procedimiento de quejas.

Responsabilidad Social Corporativa: http://www.tirant.net/Docs/RSCTirant.pdf

Índice

1. REAL DECRETO LEGISLATIVO 5/2015, DE 30 DE OCTUBRE, POR EL QUE SE APRUEBA EL TEXTO REFUNDIDO DE LA LEY DEL ESTATUTO BÁSICO DEL EMPLEADO PÚBLICO

(BOE núm. 261, 31 de octubre de 2015; correc. BOE núm. 278, 20 de noviembre de 2015)

El artículo uno.g) de la Ley 20/2014, de 29 de octubre, por la que se delega en el Gobierno la potestad de dictar diversos textos refundidos, en virtud de lo establecido en el artículo 82 y siguientes de la Constitución Española, autoriza al Gobierno para aprobar, en el plazo de doce meses a partir de la entrada en vigor de esta ley, un texto refundido en el que se integren, debidamente regularizadas, aclaradas y armonizadas, la Ley 7/2007, de 12 de abril, del Estatuto Básico del Empleado Público, y las disposiciones en materia de régimen jurídico del empleo público contenidas en normas con rango de ley que la hayan modificado, y las que, afectando a su ámbito material, puedan, en su caso, promulgarse antes de la aprobación por Consejo de Ministros de los textos refundidos que procedan y así se haya previsto en las mismas.

Asimismo, el artículo dos de la citada ley, prevé que los reales decretos legislativos que se dicten de acuerdo con la presente ley incluirán la derogación expresa de las normas que hayan sido objeto de refundición así como de aquellas disposiciones reglamentarias dictadas en aplicación y desarrollo de las mismas que resulten incompatibles con la refundición efectuada.

De acuerdo con la citada habilitación se ha procedido a elaborar el texto refundido, siguiendo los criterios que a continuación se exponen.

En primer lugar, se ha procedido a integrar en un texto único todas las modificaciones introducidas en la Ley 7/2007, de 12 de abril, a través de diversas leyes que bien han dado una nueva redacción a determinados preceptos, bien, han introducido nuevas disposiciones.

En segundo lugar, y de acuerdo con la delegación conferida, se han incluido en el texto las disposiciones en materia de régimen jurídico del empleo público contenidas en normas con rango de ley que la hayan modificado, entendiendo por tales únicamente aquellas normas con rango de ley, y carácter de legislación básica, que de manera indiscutible afectan al ámbito material de la Ley 7/2007, de 12 de abril, y que no tengan un mero carácter coyuntural o temporal, sino que han sido aprobadas con vocación de permanencia.

Por otra parte, el principio de seguridad jurídica ha guiado toda la elaboración de este texto refundido.

En este sentido, si bien en todo momento se ha perseguido el objetivo unificador que encarna esta clase de textos refundidos, lo que se ha realizado a través de la actualización, aclaración y armonización de las distintas leyes que lo conforman, dando lugar a un nuevo texto, completo y sistemático.

Asimismo, se entiende que esta tendencia unificadora no puede ser óbice para que se incluyan en el texto refundido, debidamente integradas, todas aquellas normas que son necesarias para evitar que se produzca un vacío legal, como ocurre con la regulación relativa a los títulos universitarios oficiales correspondientes a la anterior ordenación exigibles para el ingreso en las Administraciones Públicas; o aquellas que, si bien podrían tener un carácter temporal, aun no se han consumado al no haberse cumplido la condición prevista para ello, condición que en la mayoría de los supuestos supone la aprobación de las correspondientes leyes de desarrollo, como es el caso de alguna de las normas incluidas en la disposición derogatoria única de la Ley 7/2007, de 12 de abril, cuya derogación se preveía que se produciría, como se señalaba, cuando entrasen en vigor las leyes de desarrollo, leyes que en la mayoría de los casos aún no se han aprobado.

Por último, y como fruto de la integración operada, se ha procedido a ajustar la numeración de las disposiciones como consecuencia de las distintas derogaciones que ya se habían producido con anterioridad.

Artículo único. *Aprobación del texto refundido de la Ley del Estatuto Básico del Empleado Público.* Se aprueba el texto refundido de la Ley del Estatuto Básico del Empleado Público que se inserta a continuación.

Disposición adicional única. *Remisiones normativas.* Las referencias efectuadas en otras disposiciones a las normas que se integran en el texto refundido que se aprueba, se entenderán efectuadas a los preceptos correspondientes de este último.

Disposición derogatoria única. *Derogación normativa.* Quedan derogadas todas las disposiciones de igual o inferior rango que se opongan a lo dispuesto en el presente real decreto legislativo y al texto refundido que por él se aprueba, y en particular, las siguientes:

1. La Ley 7/2007, de 12 de abril, del Estatuto Básico del Empleado Público.

2. La disposición final quinta de la Ley 40/2007, de 4 de diciembre, de medidas en materia de Seguridad Social.

3. La disposición final vigésima tercera de la Ley 39/2010, de 22 de diciembre, de Presupuestos Generales del Estado para el año 2011.

4. El artículo 11 de la Ley 26/2011, de 1 de agosto, de adaptación normativa a la Convención Internacional sobre los Derechos de las Personas con Discapacidad.

5. La disposición final segunda de la Ley 27/2011, de 1 de agosto, sobre actualización, adecuación y modernización del sistema de Seguridad Social.

6. El artículo 7, el artículo 8, apartados uno y dos, el artículo 11 y el artículo 13, apartado 1, del Real Decreto-ley 20/2012, de 13 de

julio, de medidas para garantizar la estabilidad presupuestaria y de fomento de la competitividad.

7. La disposición adicional cuarta de la Ley Orgánica 9/2013, de 20 de diciembre, de control de la deuda comercial en el sector publico.

8. El artículo 28 de la Ley 15/2014, de 16 de septiembre, de racionalización del Sector Publico y otras medidas de reforma administrativa.

9. La disposición final sexta de la Ley Orgánica 9/2015, de 28 de julio, de Régimen de Personal de la Policía Nacional.

10. El artículo 5 de la Ley 25/2015, de 28 de julio, de mecanismo de segunda oportunidad, reducción de la carga financiera y otras medidas de orden social.

11. La disposición final cuarta de la Ley 26/2015, de 28 de julio, de modificación del sistema de protección a la infancia y a la adolescencia.

12. El artículo 2 del Real Decreto-ley 10/2015, de 11 de septiembre, por el que se conceden créditos extraordinarios y suplementos de crédito en el presupuesto del Estado y se adoptan otras medidas en materia de empleo público y de estímulo a la economía.

13. La disposición final novena de la Ley 48/2015, de 29 de octubre, de Presupuestos Generales del Estado para el año 2016.

Disposición final única. *Entrada en vigor.* El presente real decreto legislativo y el texto refundido que aprueba entrarán en vigor el día siguiente al de su publicación en el «Boletín Oficial del Estado».

No obstante, la entrada en vigor de la duración prevista para el permiso de paternidad en el artículo 49.c) del texto refundido, se producirá en los términos previstos en la disposición transitoria sexta de dicho texto refundido.

Por último, la entrada en vigor, tanto del apartado 2 del artículo 50 como de la disposición adicional decimosexta del texto refundido, se producirá el 1 de enero de 2016.

TEXTO REFUNDIDO DE LA LEY DEL ESTATUTO BÁSICO DEL EMPLEADO PÚBLICO

ÍNDICE

Disposición adicional sexta. Otras agrupaciones profesionales sin requisito de titulación.

Disposición adicional séptima. Planes de igualdad.

Disposición adicional octava.

Disposición adicional novena.

Disposición adicional décima. Ámbito de aplicación del artículo 87.3.

Disposición adicional undécima. Personal militar que preste servicios en la Administración civil.

Disposición adicional duodécima. Mesas de negociación en ámbitos específicos.

Disposición adicional decimotercera. Permiso por asuntos particulares por antigüedad.

Disposición adicional decimocuarta. Días adicionales de vacaciones por antigüedad.

Disposición adicional decimoquinta. Registro de Órganos de Representación del Personal.

Disposición adicional decimosexta. Permiso retribuido para las funcionarias en estado de gestación.

Disposición transitoria primera. Garantía de derechos retributivos.

Disposición transitoria segunda. Personal Laboral fijo que desempeña funciones o puestos clasificados como propios de personal funcionario.

Disposición transitoria tercera. Entrada en vigor de la nueva clasificación profesional.

Disposición transitoria cuarta. Consolidación de empleo temporal.

Disposición transitoria quinta. Procedimiento Electoral General.

Disposición transitoria sexta. Duración del permiso de paternidad por el nacimiento, acogimiento o adopción de un hijo para el personal funcionario hasta la entrada en vigor de la Ley 9/2009, de 6 de octubre.

Disposición transitoria séptima. Referencia a los Organismos Reguladores.

Disposición transitoria octava. Aplicación del artículo 84.3.

Disposición derogatoria única.

Disposición final primera. Habilitación competencial.

Disposición final segunda.

Disposición final tercera. Modificación de la Ley 53/1984, de 26 de diciembre, de incompatibilidades del personal al servicio de las Administraciones Públicas.

Disposición final cuarta. Entrada en vigor.

TÍTULO I
OBJETO Y ÁMBITO DE APLICACIÓN

Artículo 1. *Objeto*. 1. El presente Estatuto tiene por objeto establecer las bases del régimen estatutario de los funcionarios públicos incluidos en su ámbito de aplicación.

2. Asimismo tiene por objeto determinar las normas aplicables al personal laboral al servicio de las Administraciones Públicas.

3. Este Estatuto refleja, del mismo modo, los siguientes fundamentos de actuación:

a) Servicio a los ciudadanos y a los intereses generales.

b) Igualdad, mérito y capacidad en el acceso y en la promoción profesional.

c) Sometimiento pleno a la ley y al Derecho.

d) Igualdad de trato entre mujeres y hombres.

e) Objetividad, profesionalidad e imparcialidad en el servicio garantizadas con la inamovilidad en la condición de funcionario de carrera.

f) Eficacia en la planificación y gestión de los recursos humanos.

g) Desarrollo y cualificación profesional permanente de los empleados públicos.

h) Transparencia.

i) Evaluación y responsabilidad en la gestión.

j) Jerarquía en la atribución, ordenación y desempeño de las funciones y tareas.

k) Negociación colectiva y participación, a través de los representantes, en la determinación de las condiciones de empleo.

l) Cooperación entre las Administraciones Públicas en la regulación y gestión del empleo público.

Artículo 2. *Ámbito de aplicación*. 1. Este Estatuto se aplica al personal funcionario y en lo que proceda al personal laboral al servicio de las siguientes Administraciones Públicas:

a) La Administración General del Estado.

b) Las Administraciones de las comunidades autónomas y de las ciudades de Ceuta y Melilla.

c) Las Administraciones de las entidades locales.

d) Los organismos públicos, agencias y demás entidades de derecho público con personalidad jurídica propia, vinculadas o dependientes de cualquiera de las Administraciones Públicas.

e) Las Universidades Públicas.

2. En la aplicación de este Estatuto al personal de investigación se podrán dictar normas singulares para adecuarlo a sus peculiaridades.

Apartado 2 redactado por la Ley 17/2022, de 5 de septiembre, por la que se modifica la Ley 14/2011, de 1 de junio, de la Ciencia, la Tecnología y la Innovación (BOE núm. 214, 6 de septiembre de 2022).

3. El personal docente y el personal estatutario de los Servicios de Salud se regirán por la legislación específica dictada por el Estado y por las comunidades autónomas en el ámbito de sus respectivas competencias y por lo previsto en el presente Estatuto, excepto el capítulo II del título III, salvo el artículo 20, y los artículos 22.3, 24 y 84.

4. Cada vez que este Estatuto haga mención al personal funcionario de carrera se entenderá comprendido el personal estatutario de los Servicios de Salud.

5. El presente Estatuto tiene carácter supletorio para todo el personal de las Administraciones Públicas no incluido en su ámbito de aplicación.

Artículo 3. *Personal funcionario de las Entidades Locales.* 1. El personal funcionario de las entidades locales se rige por la legislación estatal que resulte de aplicación, de la que forma parte este Estatuto y por la legislación de las comunidades autónomas, con respeto a la autonomía local.

2. Los Cuerpos de Policía Local se rigen también por este Estatuto y por la legislación de las comunidades autónomas, excepto en lo

establecido para ellos en la Ley Orgánica 2/1986, de 13 de marzo, de Fuerzas y Cuerpos de Seguridad.

Artículo 4. *Personal con legislación específica propia*. Las disposiciones de este Estatuto sólo se aplicarán directamente cuando así lo disponga su legislación específica al siguiente personal:

a) Personal funcionario de las Cortes Generales y de las asambleas legislativas de las comunidades autónomas.

b) Personal funcionario de los demás Órganos Constitucionales del Estado y de los órganos estatutarios de las comunidades autónomas.

c) Jueces, Magistrados, Fiscales y demás personal funcionario al servicio de la Administración de Justicia.

d) Personal militar de las Fuerzas Armadas.

e) Personal de las Fuerzas y Cuerpos de Seguridad.

f) Personal retribuido por arancel.

g) Personal del Centro Nacional de Inteligencia.

h) Personal del Banco de España y del Fondo de Garantía de Depósitos de Entidades de Crédito.

Artículo 5. *Personal de la Sociedad Estatal Correos y Telégrafos*. El personal funcionario de la Sociedad Estatal Correos y Telégrafos se regirá por sus normas específicas y supletoriamente por lo dispuesto en este Estatuto.

Su personal laboral se regirá por la legislación laboral y demás normas convencionalmente aplicables.

Artículo 6. *Leyes de Función Pública*. En desarrollo de este Estatuto, las Cortes Generales y las asambleas legislativas de las comunidades autónomas aprobarán, en el ámbito de sus competencias, las leyes reguladoras de la Función Pública de la Administración General del Estado y de las comunidades autónomas.

Artículo 7. *Normativa aplicable al personal laboral.* El personal laboral al servicio de las Administraciones públicas se rige, además de por la legislación laboral y por las demás normas convencionalmente aplicables, por los preceptos de este Estatuto que así lo dispongan.

No obstante, en materia de permisos de nacimiento, adopción, del progenitor diferente de la madre biológica, de lactancia parental, el personal laboral al servicio de las Administraciones públicas se regirá por lo previsto en el presente Estatuto, no siendo de aplicación a este personal, por tanto, las previsiones del texto refundido de la Ley del Estatuto de los Trabajadores sobre las suspensiones de los contratos de trabajo que, en su caso, corresponderían por los mismos supuestos de hecho.

Párrafo segundo redactado por el Real Decreto-Ley 9/2025, de 29 de julio, por el que se amplía el permiso de nacimiento y cuidado, mediante la modificación del texto refundido de la Ley del Estatuto de los Trabajadores, aprobado por el Real Decreto Legislativo 2/2015, de 23 de octubre, el texto refundido de la Ley del Estatuto Básico del Empleado Público, aprobado por Real Decreto Legislativo 5/2015, de 30 de octubre, y el texto refundido de la Ley General de la Seguridad Social, aprobado por Real Decreto Legislativo 8/2015, de 30 de octubre, para completar la transposición de la Directiva (UE) 2019/1158 del Parlamento Europeo y del Consejo, de 20 de junio de 2019, relativa a la conciliación de la vida familiar y la vida profesional de los progenitores y los cuidadores, y por la que se deroga la Directiva 2010/18/UE del Consejo (BOE núm. 182, 30 de julio de 2025).

Artículo 7 redactado por el Real Decreto-Ley 6/2019, de 1 de marzo, de medidas urgentes para garantía de la igualdad de trato y de oportunidades entre mujeres y hombres en el empleo y la ocupación (BOE núm. 57, 7 de marzo de 2019).

TÍTULO II
PERSONAL AL SERVICIO DE LAS ADMINISTRACIONES PÚBLICAS

CAPÍTULO I
CLASES DE PERSONAL

Artículo 8. *Concepto y clases de empleados públicos.* 1. Son empleados públicos quienes desempeñan funciones retribuidas en las Administraciones Públicas al servicio de los intereses generales.

2. Los empleados públicos se clasifican en:

a) Funcionarios de carrera.

b) Funcionarios interinos.

c) Personal laboral, ya sea fijo, por tiempo indefinido o temporal.

d) Personal eventual.

Artículo 9. *Funcionarios de carrera*. 1. Son funcionarios de carrera quienes, en virtud de nombramiento legal, están vinculados a una Administración Pública por una relación estatutaria regulada por el Derecho Administrativo para el desempeño de servicios profesionales retribuidos de carácter permanente.

2. En todo caso, el ejercicio de las funciones que impliquen la participación directa o indirecta en el ejercicio de las potestades públicas o en la salvaguardia de los intereses generales del Estado y de las Administraciones Públicas corresponden exclusivamente a los funcionarios públicos, en los términos que en la ley de desarrollo de cada Administración Pública se establezca.

Artículo 10. *Funcionarios interinos*. 1. Son funcionarios interinos los que, por razones expresamente justificadas de necesidad y urgencia, son nombrados como tales con carácter temporal para el desempeño de funciones propias de funcionarios de carrera, cuando se dé alguna de las siguientes circunstancias:

a) La existencia de plazas vacantes, cuando no sea posible su cobertura por funcionarios de carrera, por un máximo de tres años, en los términos previstos en el apartado 4.

b) La sustitución transitoria de los titulares, durante el tiempo estrictamente necesario.

c) La ejecución de programas de carácter temporal, que no podrán tener una duración superior a tres años, ampliable hasta doce meses más por las leyes de Función Pública que se dicten en desarrollo de este Estatuto.

d) El exceso o acumulación de tareas por plazo máximo de nueve meses, dentro de un periodo de dieciocho meses.

2. Los procedimientos de selección del personal funcionario interino serán públicos, rigiéndose en todo caso por los principios de igualdad, mérito, capacidad, publicidad y celeridad, y tendrán por finalidad la cobertura inmediata del puesto. El nombramiento derivado de estos procedimientos de selección en ningún caso dará lugar al reconocimiento de la condición de funcionario de carrera.

3. En todo caso, la Administración formalizará de oficio la finalización de la relación de interinidad por cualquiera de las siguientes causas, además de por las previstas en el artículo 63, sin derecho a compensación alguna:

a) Por la cobertura reglada del puesto por personal funcionario de carrera a través de cualquiera de los procedimientos legalmente establecidos.

b) Por razones organizativas que den lugar a la supresión o a la amortización de los puestos asignados.

c) Por la finalización del plazo autorizado expresamente recogido en su nombramiento.

d) Por la finalización de la causa que dio lugar a su nombramiento.

4. En el supuesto previsto en el apartado 1.a), las plazas vacantes desempeñadas por personal funcionario interino deberán ser objeto de cobertura mediante cualquiera de los mecanismos de provisión o movilidad previstos en la normativa de cada Administración Pública.

No obstante, transcurridos tres años desde el nombramiento del personal funcionario interino se producirá el fin de la relación de interinidad, y la vacante solo podrá ser ocupada por personal funcionario de carrera, salvo que el correspondiente proceso selectivo quede desierto, en cuyo caso se podrá efectuar otro nombramiento de personal funcionario interino.

Excepcionalmente, el personal funcionario interino podrá permanecer en la plaza que ocupe temporalmente, siempre que se haya publicado la correspondiente convocatoria dentro del plazo de los tres años, a contar desde la fecha del nombramiento del funcionario interino y sea resuelta conforme a los plazos establecidos en el artículo 70 del TREBEP. En este supuesto podrá permanecer hasta la resolución de la convocatoria, sin que su cese dé lugar a compensación económica.

5. Al personal funcionario interino le será aplicable el régimen general del personal funcionario de carrera en cuanto sea adecuado a la naturaleza de su condición temporal y al carácter extraordinario y urgente de su nombramiento, salvo aquellos derechos inherentes a la condición de funcionario de carrera.

Artículo 10 redactado por la Ley 20/2021, de 28 de diciembre, de medidas urgentes para la reducción de la temporalidad en el empleo público (BOE núm. 312, 29 de diciembre de 2021).

Artículo 11. *Personal laboral*. 1. Es personal laboral el que en virtud de contrato de trabajo formalizado por escrito, en cualquiera de las modalidades de contratación de personal previstas en la legislación laboral, presta servicios retribuidos por las Administraciones Públicas. En función de la duración del contrato éste podrá ser fijo, por tiempo indefinido o temporal.

2. Las leyes de Función Pública que se dicten en desarrollo de este Estatuto establecerán los criterios para la determinación de los puestos de trabajo que pueden ser desempeñados por personal laboral, respetando en todo caso lo establecido en el artículo 9.2.

3. Los procedimientos de selección del personal laboral serán públicos, rigiéndose en todo caso por los principios de igualdad, mérito y capacidad. En el caso del personal laboral temporal se regirá igualmente por el principio de celeridad, teniendo por finalidad atender razones expresamente justificadas de necesidad y urgencia.

Apartado 3 redactado por la Ley 20/2021, de 28 de diciembre, de medidas urgentes para la reducción de la temporalidad en el empleo público (BOE núm. 312, 29 de diciembre de 2021).

Artículo 12. *Personal eventual*. 1. Es personal eventual el que, en virtud de nombramiento y con carácter no permanente, sólo realiza funciones expresamente calificadas como de confianza o asesoramiento especial, siendo retribuido con cargo a los créditos presupuestarios consignados para este fin.

2. Las leyes de Función Pública que se dicten en desarrollo de este Estatuto determinarán los órganos de gobierno de las Administraciones Públicas que podrán disponer de este tipo de personal. El número máximo se establecerá por los respectivos órganos de gobierno. Este número y las condiciones retributivas serán públicas.

3. El nombramiento y cese serán libres. El cese tendrá lugar, en todo caso, cuando se produzca el de la autoridad a la que se preste la función de confianza o asesoramiento.

4. La condición de personal eventual no podrá constituir mérito para el acceso a la Función Pública o para la promoción interna.

5. Al personal eventual le será aplicable, en lo que sea adecuado a la naturaleza de su condición, el régimen general de los funcionarios de carrera.

CAPÍTULO II
PERSONAL DIRECTIVO

Artículo 13. *Personal directivo profesional*. El Gobierno y los órganos de gobierno de las comunidades autónomas podrán establecer, en desarrollo de este Estatuto, el régimen jurídico específico del personal directivo así como los criterios para determinar su condición, de acuerdo, entre otros, con los siguientes principios:

1. Es personal directivo el que desarrolla funciones directivas profesionales en las Administraciones Públicas, definidas como tales en las normas específicas de cada Administración.

2. Su designación atenderá a principios de mérito y capacidad y a criterios de idoneidad, y se llevará a cabo mediante procedimientos que garanticen la publicidad y concurrencia.

3. El personal directivo estará sujeto a evaluación con arreglo a los criterios de eficacia y eficiencia, responsabilidad por su gestión y

control de resultados en relación con los objetivos que les hayan sido fijados.

4. La determinación de las condiciones de empleo del personal directivo no tendrá la consideración de materia objeto de negociación colectiva a los efectos de esta ley. Cuando el personal directivo reúna la condición de personal laboral estará sometido a la relación laboral de carácter especial de alta dirección.

TÍTULO III
DERECHOS Y DEBERES. CÓDIGO DE CONDUCTA DE LOS EMPLEADOS PÚBLICOS

CAPÍTULO I
DERECHOS DE LOS EMPLEADOS PÚBLICOS

Artículo 14. _Derechos individuales._ Los empleados públicos tienen los siguientes derechos de carácter individual en correspondencia con la naturaleza jurídica de su relación de servicio:

a) A la inamovilidad en la condición de funcionario de carrera.

b) Al desempeño efectivo de las funciones o tareas propias de su condición profesional y de acuerdo con la progresión alcanzada en su carrera profesional.

c) A la progresión en la carrera profesional y promoción interna según principios constitucionales de igualdad, mérito y capacidad mediante la implantación de sistemas objetivos y transparentes de evaluación.

d) A percibir las retribuciones y las indemnizaciones por razón del servicio.

e) A participar en la consecución de los objetivos atribuidos a la unidad donde preste sus servicios y a ser informado por sus superiores de las tareas a desarrollar.

f) A la defensa jurídica y protección de la Administración Pública en los procedimientos que se sigan ante cualquier orden jurisdiccional como consecuencia del ejercicio legítimo de sus funciones o cargos públicos.

g) A la formación continua y a la actualización permanente de sus conocimientos y capacidades profesionales, preferentemente en horario laboral.

h) Al respeto de su intimidad, orientación e identidad sexual, expresión de género, características sexuales, propia imagen y dignidad en el trabajo, especialmente frente al acoso sexual y por razón de sexo, de orientación e identidad sexual, expresión de género o características sexuales, moral y laboral.

Letra h) redactada por la Ley 4/2023, de 28 de febrero, para la igualdad real y efectiva de las personas trans y para la garantía de los derechos de las personas LGTBI (BOE núm. 51, 1 de marzo de 2023).

i) A la no discriminación por razón de nacimiento, origen racial o étnico, género, sexo u orientación e identidad sexual, expresión de género, características sexuales, religión o convicciones, opinión, discapacidad, edad o cualquier otra condición o circunstancia personal o social.

j) A la adopción de medidas que favorezcan la conciliación de la vida personal, familiar y laboral.

Letra i) redactada por la Ley 4/2023, de 28 de febrero, para la igualdad real y efectiva de las personas trans y para la garantía de los derechos de las personas LGTBI (BOE núm. 51, 1 de marzo de 2023).

j bis) A la intimidad en el uso de dispositivos digitales puestos a su disposición y frente al uso de dispositivos de videovigilancia y geolocalización, así como a la desconexión digital en los términos establecidos en la legislación vigente en materia de protección de datos personales y garantía de los derechos digitales.

Letra j bis) añadida por la Ley orgánica 3/2018, de 5 de diciembre, de protección de datos personales y garantía de los derechos digitales (BOE núm. 294, 6 de diciembre de 2018).

k) A la libertad de expresión dentro de los límites del ordenamiento jurídico.

l) A recibir protección eficaz en materia de seguridad y salud en el trabajo.

m) A las vacaciones, descansos, permisos y licencias.

n) A la jubilación según los términos y condiciones establecidas en las normas aplicables.

o) A las prestaciones de la Seguridad Social correspondientes al régimen que les sea de aplicación.

p) A la libre asociación profesional.

q) A los demás derechos reconocidos por el ordenamiento jurídico.

Artículo 15. *Derechos individuales ejercidos colectivamente.* Los empleados públicos tienen los siguientes derechos individuales que se ejercen de forma colectiva:

a) A la libertad sindical.

b) A la negociación colectiva y a la participación en la determinación de las condiciones de trabajo.

c) Al ejercicio de la huelga, con la garantía del mantenimiento de los servicios esenciales de la comunidad.

d) Al planteamiento de conflictos colectivos de trabajo, de acuerdo con la legislación aplicable en cada caso.

e) Al de reunión, en los términos establecidos en el artículo 46 de este Estatuto.

CAPÍTULO II
DERECHO A LA CARRERA PROFESIONAL Y A LA PROMOCIÓN INTERNA. LA EVALUACIÓN DEL DESEMPEÑO

Artículo 16. *Concepto, principios y modalidades de la carrera profesional de los funcionarios de carrera.* 1. Los funcionarios de carrera tendrán derecho a la promoción profesional.

2. La carrera profesional es el conjunto ordenado de oportunidades de ascenso y expectativas de progreso profesional conforme a los principios de igualdad, mérito y capacidad.

A tal objeto las Administraciones Públicas promoverán la actualización y perfeccionamiento de la cualificación profesional de sus funcionarios de carrera.

3. Las leyes de Función Pública que se dicten en desarrollo de este Estatuto regularán la carrera profesional aplicable en cada ámbito que podrán consistir, entre otras, en la aplicación aislada o simultánea de alguna o algunas de las siguientes modalidades:

a) Carrera horizontal, que consiste en la progresión de grado, categoría, escalón u otros conceptos análogos, sin necesidad de cambiar de puesto de trabajo y de conformidad con lo establecido en la letra b) del artículo 17 y en el apartado 3 del artículo 20 de este Estatuto.

b) Carrera vertical, que consiste en el ascenso en la estructura de puestos de trabajo por los procedimientos de provisión establecidos en el capítulo III del título V de este Estatuto.

c) Promoción interna vertical, que consiste en el ascenso desde un cuerpo o escala de un Subgrupo, o Grupo de clasificación profesional en el supuesto de que éste no tenga Subgrupo, a otro superior, de acuerdo con lo establecido en el artículo 18.

d) Promoción interna horizontal, que consiste en el acceso a cuerpos o escalas del mismo Subgrupo profesional, de acuerdo con lo dispuesto en el artículo 18.

4. Los funcionarios de carrera podrán progresar simultáneamente en las modalidades de carrera horizontal y vertical cuando la Administración correspondiente las haya implantado en un mismo ámbito.

Artículo 17. *Carrera horizontal de los funcionarios de carrera*.
Las leyes de Función Pública que se dicten en desarrollo del presente Estatuto podrán regular la carrera horizontal de los funcionarios de carrera, pudiendo aplicar, entre otras, las siguientes reglas:

a) Se articulará un sistema de grados, categorías o escalones de ascenso fijándose la remuneración a cada uno de ellos. Los ascensos serán consecutivos con carácter general, salvo en aquellos supuestos excepcionales en los que se prevea otra posibilidad.

b) Se deberá valorar la trayectoria y actuación profesional, la calidad de los trabajos realizados, los conocimientos adquiridos y el resultado de la evaluación del desempeño. Podrán incluirse asimismo otros méritos y aptitudes por razón de la especificidad de la función desarrollada y la experiencia adquirida.

Artículo 18. *Promoción interna de los funcionarios de carrera*.
1. La promoción interna se realizará mediante procesos selectivos que garanticen el cumplimiento de los principios constitucionales de igualdad, mérito y capacidad así como los contemplados en el artículo 55.2 de este Estatuto.

2. Los funcionarios deberán poseer los requisitos exigidos para el ingreso, tener una antigüedad de, al menos, dos años de servicio activo en el inferior Subgrupo, o Grupo de clasificación profesional, en el supuesto de que éste no tenga Subgrupo y superar las correspondientes pruebas selectivas.

3. Las leyes de Función Pública que se dicten en desarrollo de este Estatuto articularán los sistemas para realizar la promoción interna, así como también podrán determinar los cuerpos y escalas a los que podrán acceder los funcionarios de carrera pertenecientes a otros de su mismo Subgrupo.

Asimismo las leyes de Función Pública que se dicten en desarrollo del presente Estatuto podrán determinar los cuerpos y escalas a los que podrán acceder los funcionarios de carrera pertenecientes a otros de su mismo Subgrupo.

4. Las Administraciones Públicas adoptarán medidas que incentiven la participación de su personal en los procesos selectivos de promoción interna y para la progresión en la carrera profesional.

Artículo 19. *Carrera profesional y promoción del personal laboral.* 1. El personal laboral tendrá derecho a la promoción profesional.

2. La carrera profesional y la promoción del personal laboral se hará efectiva a través de los procedimientos previstos en el Estatuto de los Trabajadores o en los convenios colectivos.

Artículo 20. *La evaluación del desempeño.* 1. Las Administraciones Públicas establecerán sistemas que permitan la evaluación del desempeño de sus empleados.

La evaluación del desempeño es el procedimiento mediante el cual se mide y valora la conducta profesional y el rendimiento o el logro de resultados.

2. Los sistemas de evaluación del desempeño se adecuarán, en todo caso, a criterios de transparencia, objetividad, imparcialidad y no discriminación y se aplicarán sin menoscabo de los derechos de los empleados públicos.

3. Las Administraciones Públicas determinarán los efectos de la evaluación en la carrera profesional horizontal, la formación, la provisión de puestos de trabajo y en la percepción de las retribuciones complementarias previstas en el artículo 24 del presente Estatuto.

4. La continuidad en un puesto de trabajo obtenido por concurso quedará vinculada a la evaluación del desempeño de acuerdo con los sistemas de evaluación que cada Administración Pública determine, dándose audiencia al interesado, y por la correspondiente resolución motivada.

5. La aplicación de la carrera profesional horizontal, de las retribuciones complementarias derivadas del apartado c) del artículo 24 del presente Estatuto y el cese del puesto de trabajo obtenido por el procedimiento de concurso requerirán la aprobación previa, en cada caso, de sistemas objetivos que permitan evaluar el desempeño de acuerdo con lo establecido en los apartados 1 y 2 de este artículo.

CAPÍTULO III
DERECHOS RETRIBUTIVOS

Artículo 21. *Determinación de las cuantías y de los incrementos retributivos.* 1. Las cuantías de las retribuciones básicas y el incremento de las cuantías globales de las retribuciones complementarias de los funcionarios, así como el incremento de la masa salarial del personal laboral, deberán reflejarse para cada ejercicio presupuestario en la correspondiente ley de presupuestos.

2. No podrán acordarse incrementos retributivos que globalmente supongan un incremento de la masa salarial superior a los límites fijados anualmente en la Ley de Presupuestos Generales del Estado para el personal.

Artículo 22. *Retribuciones de los funcionarios.* 1. Las retribuciones de los funcionarios de carrera se clasifican en básicas y complementarias.

2. Las retribuciones básicas son las que retribuyen al funcionario según la adscripción de su cuerpo o escala a un determinado Subgrupo o Grupo de clasificación profesional, en el supuesto de que éste no tenga Subgrupo, y por su antigüedad en el mismo. Dentro de ellas están comprendidas los componentes de sueldo y trienios de las pagas extraordinarias.

3. Las retribuciones complementarias son las que retribuyen las características de los puestos de trabajo, la carrera profesional o el desempeño, rendimiento o resultados alcanzados por el funcionario.

4. Las pagas extraordinarias serán dos al año, cada una por el importe de una mensualidad de retribuciones básicas y de la totalidad de las retribuciones complementarias, salvo aquéllas a las que se refieren los apartados c) y d) del artículo 24.

5. No podrá percibirse participación en tributos o en cualquier otro ingreso de las Administraciones Públicas como contraprestación de

cualquier servicio, participación o premio en multas impuestas, aun cuando estuviesen normativamente atribuidas a los servicios.

Artículo 23. *Retribuciones básicas.* Las retribuciones básicas, que se fijan en la Ley de Presupuestos Generales del Estado, estarán integradas única y exclusivamente por:

a) El sueldo asignado a cada Subgrupo o Grupo de clasificación profesional, en el supuesto de que éste no tenga Subgrupo.

b) Los trienios, que consisten en una cantidad, que será igual para cada Subgrupo o Grupo de clasificación profesional, en el supuesto de que éste no tenga Subgrupo, por cada tres años de servicio.

Artículo 24. *Retribuciones complementarias.* La cuantía y estructura de las retribuciones complementarias de los funcionarios se establecerán por las correspondientes leyes de cada Administración Pública atendiendo, entre otros, a los siguientes factores:

a) La progresión alcanzada por el funcionario dentro del sistema de carrera administrativa.

b) La especial dificultad técnica, responsabilidad, dedicación, incompatibilidad exigible para el desempeño de determinados puestos de trabajo o las condiciones en que se desarrolla el trabajo.

c) El grado de interés, iniciativa o esfuerzo con que el funcionario desempeña su trabajo y el rendimiento o resultados obtenidos.

d) Los servicios extraordinarios prestados fuera de la jornada normal de trabajo.

Artículo 25. *Retribuciones de los funcionarios interinos.* 1. Los funcionarios interinos percibirán las retribuciones básicas y las pagas extraordinarias correspondientes al Subgrupo o Grupo de adscripción, en el supuesto de que éste no tenga Subgrupo. Percibirán asimismo las retribuciones complementarias a que se refieren los apartados b), c) y

d) del artículo 24 y las correspondientes a la categoría de entrada en el cuerpo o escala en el que se le nombre.

2. Se reconocerán los trienios correspondientes a los servicios prestados antes de la entrada en vigor del presente Estatuto que tendrán efectos retributivos únicamente a partir de la entrada en vigor del mismo.

Artículo 26. *Retribuciones de los funcionarios en prácticas.* Las Administraciones Públicas determinarán las retribuciones de los funcionarios en prácticas que, como mínimo, se corresponderán a las del sueldo del Subgrupo o Grupo, en el supuesto de que éste no tenga Subgrupo, en que aspiren a ingresar.

Artículo 27. *Retribuciones del personal laboral.* Las retribuciones del personal laboral se determinarán de acuerdo con la legislación laboral, el convenio colectivo que sea aplicable y el contrato de trabajo, respetando en todo caso lo establecido en el artículo 21 del presente Estatuto.

Artículo 28. *Indemnizaciones.* Los funcionarios percibirán las indemnizaciones correspondientes por razón del servicio.

Artículo 29. *Retribuciones diferidas.* Las Administraciones Públicas podrán destinar cantidades hasta el porcentaje de la masa salarial que se fije en las correspondientes Leyes de Presupuestos Generales del Estado a financiar aportaciones a planes de pensiones de empleo o contratos de seguro colectivos que incluyan la cobertura de la contingencia de jubilación, para el personal incluido en sus ámbitos, de acuerdo con lo establecido en la normativa reguladora de los Planes de Pensiones.

Las cantidades destinadas a financiar aportaciones a planes de pensiones o contratos de seguros tendrán a todos los efectos la consideración de retribución diferida.

Artículo 30. *Deducción de retribuciones*. 1. Sin perjuicio de la sanción disciplinaria que pueda corresponder, la parte de jornada no realizada dará lugar a la deducción proporcional de haberes, que no tendrá carácter sancionador.

2. Quienes ejerciten el derecho de huelga no devengarán ni percibirán las retribuciones correspondientes al tiempo en que hayan permanecido en esa situación sin que la deducción de haberes que se efectúe tenga carácter de sanción, ni afecte al régimen respectivo de sus prestaciones sociales.

CAPÍTULO IV
DERECHO A LA NEGOCIACIÓN COLECTIVA, REPRESENTACIÓN Y PARTICIPACIÓN INSTITUCIONAL. DERECHO DE REUNIÓN

Artículo 31. *Principios generales*. 1. Los empleados públicos tienen derecho a la negociación colectiva, representación y participación institucional para la determinación de sus condiciones de trabajo.

2. Por negociación colectiva, a los efectos de esta ley, se entiende el derecho a negociar la determinación de condiciones de trabajo de los empleados de la Administración Pública.

3. Por representación, a los efectos de esta ley, se entiende la facultad de elegir representantes y constituir órganos unitarios a través de los cuales se instrumente la interlocución entre las Administraciones Públicas y sus empleados.

4. Por participación institucional, a los efectos de esta ley, se entiende el derecho a participar, a través de las organizaciones sindicales, en los órganos de control y seguimiento de las entidades u organismos que legalmente se determine.

5. El ejercicio de los derechos establecidos en este artículo se garantiza y se lleva a cabo a través de los órganos y sistemas específicos regulados en el presente capítulo, sin perjuicio de otras formas de colaboración entre las Administraciones Públicas y sus empleados públicos o los representantes de éstos.

6. Las organizaciones sindicales más representativas en el ámbito de la Función Pública están legitimadas para la interposición de recursos en vía administrativa y jurisdiccional contra las resoluciones de los órganos de selección.

7. El ejercicio de los derechos establecidos en este capítulo deberá respetar en todo caso el contenido del presente Estatuto y las leyes de desarrollo previstas en el mismo.

8. Los procedimientos para determinar condiciones de trabajo en las Administraciones Públicas tendrán en cuenta las previsiones establecidas en los convenios y acuerdos de carácter internacional ratificados por España.

Artículo 32. *Negociación colectiva, representación y participación del personal laboral.* 1. La negociación colectiva, representación y participación de los empleados públicos con contrato laboral se regirá por la legislación laboral, sin perjuicio de los preceptos de este capítulo que expresamente les son de aplicación.

2. Se garantiza el cumplimiento de los convenios colectivos y acuerdos que afecten al personal laboral, salvo cuando excepcionalmente y por causa grave de interés público derivada de una alteración sustancial de las circunstancias económicas, los órganos de gobierno de las Administraciones Públicas suspendan o modifiquen el cumplimiento de convenios colectivos o acuerdos ya firmados en la medida estrictamente necesaria para salvaguardar el interés público.

En este supuesto, las Administraciones Públicas deberán informar a las organizaciones sindicales de las causas de la suspensión o modificación.

...

Último párrafo suprimido por la Ley 31/2022, de 23 de diciembre, de Presupuestos Generales del Estado para el año 2023 (BOE núm. 308, 24 de diciembre de 2022).

Artículo 33. *Negociación colectiva*. 1. La negociación colectiva de condiciones de trabajo de los funcionarios públicos que estará sujeta a los principios de legalidad, cobertura presupuestaria, obligatoriedad, buena fe negocial, publicidad y transparencia, se efectuará mediante el ejercicio de la capacidad representativa reconocida a las organizaciones sindicales en los artículos 6.3.c); 7.1 y 7.2 de la Ley Orgánica 11/1985, de 2 de agosto, de Libertad Sindical, y lo previsto en este capítulo.

A este efecto, se constituirán Mesas de Negociación en las que estarán legitimados para estar presentes, por una parte, los representantes de la Administración Pública correspondiente, y por otra, las organizaciones sindicales más representativas a nivel estatal, las organizaciones sindicales más representativas de comunidad autónoma, así como los sindicatos que hayan obtenido el 10 por 100 o más de los representantes en las elecciones para Delegados y Juntas de Personal, en las unidades electorales comprendidas en el ámbito específico de su constitución.

2. Las Administraciones Públicas podrán encargar el desarrollo de las actividades de negociación colectiva a órganos creados por ellas, de naturaleza estrictamente técnica, que ostentarán su representación en la negociación colectiva previas las instrucciones políticas correspondientes y sin perjuicio de la ratificación de los acuerdos alcanzados por los órganos de gobierno o administrativos con competencia para ello.

Artículo 34. *Mesas de Negociación*. 1. A los efectos de la negociación colectiva de los funcionarios públicos, se constituirá una Mesa General de Negociación en el ámbito de la Administración General del Estado, así como en cada una de las Comunidades Autónomas, ciudades de Ceuta y Melilla y Entidades Locales.

2. Se reconoce la legitimación negocial de las asociaciones de municipios, así como la de las Entidades Locales de ámbito supramunicipal. A tales efectos, los municipios podrán adherirse con carácter previo o de manera sucesiva a la negociación colectiva que se lleve a cabo en el ámbito correspondiente.

Asimismo, una Administración o Entidad Pública podrá adherirse a los acuerdos alcanzados dentro del territorio de cada comunidad autónoma, o a los acuerdos alcanzados en un ámbito supramunicipal.

3. Son competencias propias de las Mesas Generales la negociación de las materias relacionadas con condiciones de trabajo comunes a los funcionarios de su ámbito.

4. Dependiendo de las Mesas Generales de Negociación y por acuerdo de las mismas podrán constituirse Mesas Sectoriales, en atención a las condiciones específicas de trabajo de las organizaciones administrativas afectadas o a las peculiaridades de sectores concretos de funcionarios públicos y a su número.

5. La competencia de las Mesas Sectoriales se extenderá a los temas comunes a los funcionarios del sector que no hayan sido objeto de decisión por parte de la Mesa General respectiva o a los que ésta explícitamente les reenvíe o delegue.

6. El proceso de negociación se abrirá, en cada Mesa, en la fecha que, de común acuerdo, fijen la Administración correspondiente y la mayoría de la representación sindical. A falta de acuerdo, el proceso se iniciará en el plazo máximo de un mes desde que la mayoría de una de las partes legitimadas lo promueva, salvo que existan causas legales o pactadas que lo impidan.

7. Ambas partes estarán obligadas a negociar bajo el principio de la buena fe y proporcionarse mutuamente la información que precisen relativa a la negociación.

Artículo 35. *Constitución y composición de las Mesas de Negociación*. 1. Las Mesas a que se refieren los artículos 34, 36.3 y disposición adicional duodécima de este Estatuto quedarán válidamente constituidas cuando, además de la representación de la Administración correspondiente, y sin perjuicio del derecho de todas las organizaciones sindicales legitimadas a participar en ellas en proporción a su representatividad, tales organizaciones sindicales representen, como mínimo, la mayoría absoluta de los miembros de los órganos unitarios de representación en el ámbito de que se trate.

2. Las variaciones en la representatividad sindical, a efectos de modificación en la composición de las Mesas de Negociación, serán acreditadas por las organizaciones sindicales interesadas, mediante el correspondiente certificado de la Oficina Pública de Registro competente, cada dos años a partir de la fecha inicial de constitución de las citadas Mesas.

3. La designación de los componentes de las Mesas corresponderá a las partes negociadoras que podrán contar con la asistencia en las deliberaciones de asesores, que intervendrán con voz, pero sin voto.

4. En las normas de desarrollo del presente Estatuto se establecerá la composición numérica de las Mesas correspondientes a sus ámbitos, sin que ninguna de las partes pueda superar el número de quince miembros.

Artículo 36. *Mesas Generales de Negociación*. 1. Se constituye una Mesa General de Negociación de las Administraciones Públicas. La representación de éstas será unitaria, estará presidida por la Administración General del Estado y contará con representantes de las Comunidades Autónomas, de las ciudades de Ceuta y Melilla y de la Federación Española de Municipios y Provincias, en función de las materias a negociar.

La representación de las organizaciones sindicales legitimadas para estar presentes de acuerdo con lo dispuesto en los artículos 6 y 7 de la Ley Orgánica 11/1985, de 2 de agosto, de Libertad Sindical, se distribuirá en función de los resultados obtenidos en las elecciones a los órganos de representación del personal, Delegados de Personal, Juntas de Personal y Comités de Empresa, en el conjunto de las Administraciones Públicas.

2. Serán materias objeto de negociación en esta Mesa las relacionadas en el artículo 37 de este Estatuto que resulten susceptibles de regulación estatal con carácter de norma básica, sin perjuicio de los acuerdos a que puedan llegar las comunidades autónomas en su correspondiente ámbito territorial en virtud de sus competencias exclusivas y compartidas en materia de Función Pública.

Será específicamente objeto de negociación en el ámbito de la Mesa General de Negociación de las Administraciones Públicas el incremento global de las retribuciones del personal al servicio de las Administraciones Públicas que corresponda incluir en el Proyecto de Ley de Presupuestos Generales del Estado de cada año.

3. Para la negociación de todas aquellas materias y condiciones de trabajo comunes al personal funcionario, estatutario y laboral de cada Administración Pública, se constituirá en la Administración General del Estado, en cada una de las comunidades autónomas, ciudades de Ceuta y Melilla y entidades locales una Mesa General de Negociación.

Son de aplicación a estas Mesas Generales los criterios establecidos en el apartado anterior sobre representación de las organizaciones sindicales en la Mesa General de Negociación de las Administraciones Públicas, tomando en consideración en cada caso los resultados obtenidos en las elecciones a los órganos de representación del personal funcionario y laboral del correspondiente ámbito de representación.

Además, también estarán presentes en estas Mesas Generales, las organizaciones sindicales que formen parte de la Mesa General de Negociación de las Administraciones Públicas siempre que hubieran obtenido el 10 por 100 de los representantes a personal funcionario o personal laboral en el ámbito correspondiente a la Mesa de que se trate.

Artículo 37. *Materias objeto de negociación.* 1. Serán objeto de negociación, en su ámbito respectivo y en relación con las competencias de cada Administración Pública y con el alcance que legalmente proceda en cada caso, las materias siguientes:

a) La aplicación del incremento de las retribuciones del personal al servicio de las Administraciones Públicas que se establezca en la Ley de Presupuestos Generales del Estado y de las comunidades autónomas.

b) La determinación y aplicación de las retribuciones complementarias de los funcionarios.

c) Las normas que fijen los criterios generales en materia de acceso, carrera, provisión, sistemas de clasificación de puestos de trabajo, y planes e instrumentos de planificación de recursos humanos.

d) Las normas que fijen los criterios y mecanismos generales en materia de evaluación del desempeño.

e) Los planes de Previsión Social Complementaria.

f) Los criterios generales de los planes y fondos para la formación y la promoción interna.

g) Los criterios generales para la determinación de prestaciones sociales y pensiones de clases pasivas.

h) Las propuestas sobre derechos sindicales y de participación.

i) Los criterios generales de acción social.

j) Las que así se establezcan en la normativa de prevención de riesgos laborales.

k) Las que afecten a las condiciones de trabajo y a las retribuciones de los funcionarios, cuya regulación exija norma con rango de ley.

l) Los criterios generales sobre ofertas de empleo público.

m) Las referidas a calendario laboral, horarios, jornadas, vacaciones, permisos, movilidad funcional y geográfica, así como los criterios generales sobre la planificación estratégica de los recursos humanos, en aquellos aspectos que afecten a condiciones de trabajo de los empleados públicos.

2. Quedan excluidas de la obligatoriedad de la negociación, las materias siguientes:

a) Las decisiones de las Administraciones Públicas que afecten a sus potestades de organización.

Cuando las consecuencias de las decisiones de las Administraciones Públicas que afecten a sus potestades de organización tengan repercusión sobre condiciones de trabajo de los funcionarios públicos contempladas en el apartado anterior, procederá la negociación de dichas condiciones con las organizaciones sindicales a que se refiere este Estatuto.

b) La regulación del ejercicio de los derechos de los ciudadanos y de los usuarios de los servicios públicos, así como el procedimiento de formación de los actos y disposiciones administrativas.

c) La determinación de condiciones de trabajo del personal directivo.

d) Los poderes de dirección y control propios de la relación jerárquica.

e) La regulación y determinación concreta, en cada caso, de los sistemas, criterios, órganos y procedimientos de acceso al empleo público y la promoción profesional.

Artículo 38. *Pactos y Acuerdos.* 1. En el seno de las Mesas de Negociación correspondientes, los representantes de las Administraciones Públicas podrán concertar Pactos y Acuerdos con la representación de las organizaciones sindicales legitimadas a tales efectos, para la determinación de condiciones de trabajo de los funcionarios de dichas Administraciones.

2. Los Pactos se celebrarán sobre materias que se correspondan estrictamente con el ámbito competencial del órgano administrativo que lo suscriba y se aplicarán directamente al personal del ámbito correspondiente.

3. Los Acuerdos versarán sobre materias competencia de los órganos de gobierno de las Administraciones Públicas. Para su validez y eficacia será necesaria su aprobación expresa y formal por estos órganos. Cuando tales Acuerdos hayan sido ratificados y afecten a temas que pueden ser decididos de forma definitiva por los órganos de gobierno, el contenido de los mismos será directamente aplicable al personal incluido en su ámbito de aplicación, sin perjuicio de que a efectos formales se requiera la modificación o derogación, en su caso, de la normativa reglamentaria correspondiente.

Si los Acuerdos ratificados tratan sobre materias sometidas a reserva de ley que, en consecuencia, sólo pueden ser determinadas definitivamente por las Cortes Generales o las asambleas legislativas de las comunidades autónomas, su contenido carecerá de eficacia directa. No obstante, en este supuesto, el órgano de gobierno respectivo que tenga iniciativa legislativa procederá a la elaboración, aprobación y remisión a las Cortes Generales o asambleas legislativas de las comunidades autónomas del correspondiente proyecto de ley conforme al contenido del Acuerdo y en el plazo que se hubiera acordado.

Cuando exista falta de ratificación de un Acuerdo o, en su caso, una negativa expresa a incorporar lo acordado en el proyecto de ley correspondiente, se deberá iniciar la renegociación de las materias tratadas en el plazo de un mes, si así lo solicitara al menos la mayoría de una de las partes.

4. Los Pactos y Acuerdos deberán determinar las partes que los conciertan, el ámbito personal, funcional, territorial y temporal, así como la forma, plazo de preaviso y condiciones de denuncia de los mismos.

5. Se establecerán Comisiones Paritarias de seguimiento de los Pactos y Acuerdos con la composición y funciones que las partes determinen.

6. Los Pactos celebrados y los Acuerdos, una vez ratificados, deberán ser remitidos a la Oficina Pública que cada Administración compe-

tente determine y la Autoridad respectiva ordenará su publicación en el Boletín Oficial que corresponda en función del ámbito territorial.

7. En el supuesto de que no se produzca acuerdo en la negociación o en la renegociación prevista en el último párrafo del apartado 3 del presente artículo y una vez agotados, en su caso, los procedimientos de solución extrajudicial de conflictos, corresponderá a los órganos de gobierno de las Administraciones Públicas establecer las condiciones de trabajo de los funcionarios con las excepciones contempladas en los apartados 11, 12 y 13 del presente artículo.

8. Los Pactos y Acuerdos que, de conformidad con lo establecido en el artículo 37, contengan materias y condiciones generales de trabajo comunes al personal funcionario y laboral, tendrán la consideración y efectos previstos en este artículo para los funcionarios y en el artículo 83 del Estatuto de los Trabajadores para el personal laboral.

9. Los Pactos y Acuerdos en sus respectivos ámbitos y en relación con las competencias de cada Administración Pública, podrán establecer la estructura de la negociación colectiva así como fijar las reglas que han de resolver los conflictos de concurrencia entre las negociaciones de distinto ámbito y los criterios de primacía y complementariedad entre las diferentes unidades negociadoras.

10. Se garantiza el cumplimiento de los Pactos y Acuerdos, salvo cuando excepcionalmente y por causa grave de interés público derivada de una alteración sustancial de las circunstancias económicas, los órganos de gobierno de las Administraciones Públicas suspendan o modifiquen el cumplimiento de Pactos y Acuerdos ya firmados, en la medida estrictamente necesaria para salvaguardar el interés público.

En este supuesto, las Administraciones Públicas deberán informar a las organizaciones sindicales de las causas de la suspensión o modificación.

...

Último párrafo suprimido por la Ley 31/2022, de 23 de diciembre, de Presupuestos Generales del Estado para el año 2023 (BOE núm. 308, 24 de diciembre de 2022).

11. Salvo acuerdo en contrario, los Pactos y Acuerdos se prorrogarán de año en año si no mediara denuncia expresa de una de las partes.

12. La vigencia del contenido de los Pactos y Acuerdos una vez concluida su duración, se producirá en los términos que los mismos hubieren establecido.

13. Los Pactos y Acuerdos que sucedan a otros anteriores los derogan en su integridad, salvo los aspectos que expresamente se acuerde mantener.

Artículo 39. *Órganos de representación*. 1. Los órganos específicos de representación de los funcionarios son los Delegados de Personal y las Juntas de Personal.

2. En las unidades electorales donde el número de funcionarios sea igual o superior a 6 e inferior a 50, su representación corresponderá a los Delegados de Personal. Hasta 30 funcionarios se elegirá un Delegado, y de 31 a 49 se elegirán tres, que ejercerán su representación conjunta y mancomunadamente.

3. Las Juntas de Personal se constituirán en unidades electorales que cuenten con un censo mínimo de 50 funcionarios.

4. El establecimiento de las unidades electorales se regulará por el Estado y por cada Comunidad Autónoma dentro del ámbito de sus competencias legislativas. Previo acuerdo con las Organizaciones Sindicales legitimadas en los artículos 6 y 7 de la Ley Orgánica 11/1985, de 2 de agosto, de Libertad Sindical, los órganos de gobierno de las Administraciones Públicas podrán modificar o establecer unidades electorales en razón del número y peculiaridades de sus colectivos, adecuando la configuración de las mismas a las estructuras administrativas o a los ámbitos de negociación constituidos o que se constituyan.

5. Cada Junta de Personal se compone de un número de representantes, en función del número de funcionarios de la Unidad electoral correspondiente, de acuerdo con la siguiente escala, en coherencia con lo establecido en el Estatuto de los Trabajadores:

De 50 a 100 funcionarios: 5.

De 101 a 250 funcionarios: 9.

De 251 a 500 funcionarios: 13.

De 501 a 750 funcionarios: 17.

De 751 a 1.000 funcionarios: 21.

De 1.001 en adelante, dos por cada 1.000 o fracción, con el máximo de 75.

6. Las Juntas de Personal elegirán de entre sus miembros un Presidente y un Secretario y elaborarán su propio reglamento de procedimiento, que no podrá contravenir lo dispuesto en el presente Estatuto y legislación de desarrollo, remitiendo copia del mismo y de sus modificaciones al órgano u órganos competentes en materia de personal que cada Administración determine. El reglamento y sus modificaciones deberán ser aprobados por los votos favorables de, al menos, dos tercios de sus miembros.

Artículo 40. *Funciones y legitimación de los órganos de representación*. 1. Las Juntas de Personal y los Delegados de Personal, en su caso, tendrán las siguientes funciones, en sus respectivos ámbitos:

a) Recibir información, sobre la política de personal, así como sobre los datos referentes a la evolución de las retribuciones, evolución probable del empleo en el ámbito correspondiente y programas de mejora del rendimiento.

b) Emitir informe, a solicitud de la Administración Pública correspondiente, sobre el traslado total o parcial de las instalaciones e implantación o revisión de sus sistemas de organización y métodos de trabajo.

c) Ser informados de todas las sanciones impuestas por faltas muy graves.

d) Tener conocimiento y ser oídos en el establecimiento de la jornada laboral y horario de trabajo, así como en el régimen de vacaciones y permisos.

e) Vigilar el cumplimiento de las normas vigentes en materia de condiciones de trabajo, prevención de riesgos laborales, Seguridad Social y empleo y ejercer, en su caso, las acciones legales oportunas ante los organismos competentes.

f) Colaborar con la Administración correspondiente para conseguir el establecimiento de cuantas medidas procuren el mantenimiento e incremento de la productividad.

2. Las Juntas de Personal, colegiadamente, por decisión mayoritaria de sus miembros y, en su caso, los Delegados de Personal, mancomunadamente, estarán legitimados para iniciar, como interesados, los correspondientes procedimientos administrativos y ejercitar las acciones en vía administrativa o judicial en todo lo relativo al ámbito de sus funciones.

Artículo 41. *Garantías de la función representativa del personal.*
1. Los miembros de las Juntas de Personal y los Delegados de Personal, en su caso, como representantes legales de los funcionarios, dispondrán en el ejercicio de su función representativa de las siguientes garantías y derechos:

a) El acceso y libre circulación por las dependencias de su unidad electoral, sin que se entorpezca el normal funcionamiento de las correspondientes unidades administrativas, dentro de los horarios habituales de trabajo y con excepción de las zonas que se reserven de conformidad con lo dispuesto en la legislación vigente.

b) La distribución libre de las publicaciones que se refieran a cuestiones profesionales y sindicales.

c) La audiencia en los expedientes disciplinarios a que pudieran ser sometidos sus miembros durante el tiempo de su mandato y durante el año inmediatamente posterior, sin perjuicio de la audiencia al interesado regulada en el procedimiento sancionador.

d) Un crédito de horas mensuales dentro de la jornada de trabajo y retribuidas como de trabajo efectivo, de acuerdo con la siguiente escala:

Hasta 100 funcionarios: 15.

De 101 a 250 funcionarios: 20.

De 251 a 500 funcionarios: 30.

De 501 a 750 funcionarios: 35.

De 751 en adelante: 40.

Los miembros de la Junta de Personal y Delegados de Personal de la misma candidatura que así lo manifiesten podrán proceder, previa comunicación al órgano que ostente la Jefatura de Personal ante la que aquélla ejerza su representación, a la acumulación de los créditos horarios.

e) No ser trasladados ni sancionados por causas relacionadas con el ejercicio de su mandato representativo, ni durante la vigencia del mismo, ni en el año siguiente a su extinción, exceptuando la extinción que tenga lugar por revocación o dimisión.

2. Los miembros de las Juntas de Personal y los Delegados de Personal no podrán ser discriminados en su formación ni en su promoción económica o profesional por razón del desempeño de su representación.

3. Cada uno de los miembros de la Junta de Personal y ésta como órgano colegiado, así como los Delegados de Personal, en su caso, observarán sigilo profesional en todo lo referente a los asuntos en que la Administración señale expresamente el carácter reservado, aún después de expirar su mandato. En todo caso, ningún documento reservado entregado por la Administración podrá ser utilizado fuera del estricto ámbito de la Administración para fines distintos de los que motivaron su entrega.

Artículo 42. *Duración de la representación.* El mandato de los miembros de las Juntas de Personal y de los Delegados de Personal, en su caso, será de cuatro años, pudiendo ser reelegidos. El mandato se entenderá prorrogado si, a su término, no se hubiesen promovido nuevas elecciones, sin que los representantes con mandato prorrogado se contabilicen a efectos de determinar la capacidad representativa de los Sindicatos.

Artículo 43. *Promoción de elecciones a Delegados y Juntas de Personal.* 1. Podrán promover la celebración de elecciones a Delegados y Juntas de Personal, conforme a lo previsto en el presente Estatuto y en los artículos 6 y 7 de la Ley Orgánica 11/1985, de 2 de agosto, de Libertad Sindical:

a) Los Sindicatos más representativos a nivel estatal.

b) Los sindicatos más representativos a nivel de comunidad autónoma, cuando la unidad electoral afectada esté ubicada en su ámbito geográfico.

c) Los sindicatos que, sin ser más representativos, hayan conseguido al menos el 10 por 100 de los representantes a los que se refiere este Estatuto en el conjunto de las Administraciones Públicas.

d) Los sindicatos que hayan obtenido al menos un porcentaje del 10 por 100 en la unidad electoral en la que se pretende promover las elecciones.

e) Los funcionarios de la unidad electoral, por acuerdo mayoritario.

2. Los legitimados para promover elecciones tendrán, a este efecto, derecho a que la Administración Pública correspondiente les suministre el censo de personal de las unidades electorales afectadas, distribuido por organismos o centros de trabajo.

Artículo 44. *Procedimiento electoral.* El procedimiento para la elección de las Juntas de Personal y para la elección de Delegados de Personal se determinará reglamentariamente teniendo en cuenta los siguientes criterios generales:

a) La elección se realizará mediante sufragio personal, directo, libre y secreto que podrá emitirse por correo o por otros medios telemáticos.

b) Serán electores y elegibles los funcionarios que se encuentren en la situación de servicio activo. No tendrán la consideración de electores ni elegibles los funcionarios que ocupen puestos cuyo nombramiento se efectúe a través de real decreto o por decreto de los consejos de gobierno de las comunidades autónomas y de las ciudades de Ceuta y Melilla.

c) Podrán presentar candidaturas las organizaciones sindicales legalmente constituidas o las coaliciones de éstas, y los grupos de electores de una misma unidad electoral, siempre que el número de ellos sea equivalente, al menos, al triple de los miembros a elegir.

d) Las Juntas de Personal se elegirán mediante listas cerradas a través de un sistema proporcional corregido, y los Delegados de Personal mediante listas abiertas y sistema mayoritario.

e) Los órganos electorales serán las Mesas Electorales que se constituyan para la dirección y desarrollo del procedimiento electoral y las oficinas públicas permanentes para el cómputo y certificación de resultados reguladas en la normativa laboral.

f) Las impugnaciones se tramitarán conforme a un procedimiento arbitral, excepto las reclamaciones contra las denegaciones de inscripción de actas electorales que podrán plantearse directamente ante la jurisdicción social.

Artículo 45. *Solución extrajudicial de conflictos colectivos*. 1. Con independencia de las atribuciones fijadas por las partes a las comisiones paritarias previstas en el artículo 38.5 para el conocimiento y resolución de los conflictos derivados de la aplicación e interpretación de los Pactos y Acuerdos, las Administraciones Públicas y las organizaciones sindicales a que se refiere el presente capítulo podrán acordar la creación, configuración y desarrollo de sistemas de solución extrajudicial de conflictos colectivos.

2. Los conflictos a que se refiere el apartado anterior podrán ser los derivados de la negociación, aplicación e interpretación de los Pactos y Acuerdos sobre las materias señaladas en el artículo 37, excepto para aquellas en que exista reserva de ley.

3. Los sistemas podrán estar integrados por procedimientos de mediación y arbitraje. La mediación será obligatoria cuando lo solicite una de las partes y las propuestas de solución que ofrezcan el mediador o mediadores podrán ser libremente aceptadas o rechazadas por las mismas.

Mediante el procedimiento de arbitraje las partes podrán acordar voluntariamente encomendar a un tercero la resolución del conflicto planteado, comprometiéndose de antemano a aceptar el contenido de la misma.

4. El acuerdo logrado a través de la mediación o de la resolución de arbitraje tendrá la misma eficacia jurídica y tramitación de los Pactos y Acuerdos regulados en el presente Estatuto, siempre que quienes hubieran adoptado el acuerdo o suscrito el compromiso arbitral tuviesen la legitimación que les permita acordar, en el ámbito del conflicto, un Pacto o Acuerdo conforme a lo previsto en este Estatuto.

Estos acuerdos serán susceptibles de impugnación. Específicamente cabrá recurso contra la resolución arbitral en el caso de que no se hubiesen observado en el desarrollo de la actuación arbitral los requisitos y formalidades establecidos al efecto o cuando la resolución hubiese versado sobre puntos no sometidos a su decisión, o que ésta contradiga la legalidad vigente.

5. La utilización de estos sistemas se efectuará conforme a los procedimientos que reglamentariamente se determinen previo acuerdo con las organizaciones sindicales representativas.

Artículo 46. *Derecho de reunión*. 1. Están legitimados para convocar una reunión, además de las organizaciones sindicales, directamente o a través de los Delegados Sindicales:

a) Los Delegados de Personal.

b) Las Juntas de Personal.

c) Los Comités de Empresa.

d) Los empleados públicos de las Administraciones respectivas en número no inferior al 40 por 100 del colectivo convocado.

2. Las reuniones en el centro de trabajo se autorizarán fuera de las horas de trabajo, salvo acuerdo entre el órgano competente en materia de personal y quienes estén legitimados para convocarlas.

La celebración de la reunión no perjudicará la prestación de los servicios y los convocantes de la misma serán responsables de su normal desarrollo.

CAPÍTULO V
DERECHO A LA JORNADA DE TRABAJO, PERMISOS Y VACACIONES

Artículo 47. *Jornada de trabajo de los funcionarios públicos.* 1. Las Administraciones Públicas establecerán la jornada general y las especiales de trabajo de sus funcionarios públicos. La jornada de trabajo podrá ser a tiempo completo o a tiempo parcial.

2. Las Administraciones Públicas adoptarán medidas de flexibilización horaria para garantizar la conciliación de la vida familiar y laboral de los empleados públicos que tengan a su cargo a hijos e hijas menores de doce años, así como de los empleados públicos que tengan necesidades de cuidado respecto de los hijos e hijas mayores de doce años, el cónyuge o pareja de hecho, familiares por consanguinidad hasta el segundo grado, así como de otras personas que convivan en el mismo domicilio, y que por razones de edad, accidente o enfermedad no puedan valerse por sí mismos.

Artículo 47 redactado por el Real Decreto-Ley 2/2024, de 21 de mayo, por el que se adoptan medidas urgentes para la simplificación y mejora del nivel asistencial de la protección por desempleo, y para completar la transposición de la Directiva (UE) 2019/1158 del Parlamento Europeo y del Consejo, de 20 de junio de 2019, relativa a la conciliación de la vida familiar y la vida profesional de los progenitores y los cuidadores, y por la que se deroga la Directiva 2010/10/18/UE del Consejo (BOE núm. 124, 22 de mayo de 2024).

Artículo 47 bis. *Teletrabajo.* 1. Se considera teletrabajo aquella modalidad de prestación de servicios a distancia en la que el contenido competencial del puesto de trabajo puede desarrollarse, siempre que las necesidades del servicio lo permitan, fuera de las dependencias de la Administración, mediante el uso de tecnologías de la información y comunicación.

2. La prestación del servicio mediante teletrabajo habrá de ser expresamente autorizada y será compatible con la modalidad presencial. En todo caso, tendrá carácter voluntario y reversible salvo en supuestos excepcionales debidamente justificados. Se realizará en los términos de las normas que se dicten en desarrollo de este Estatuto, que serán objeto de negociación colectiva en el ámbito correspondiente y contemplarán criterios objetivos en el acceso a esta modalidad de prestación de servicio.

El teletrabajo deberá contribuir a una mejor organización del trabajo a través de la identificación de objetivos y la evaluación de su cumplimiento.

3. El personal que preste sus servicios mediante teletrabajo tendrá los mismos deberes y derechos, individuales y colectivos, recogidos en el presente Estatuto que el resto del personal que preste sus servicios en modalidad presencial, incluyendo la normativa de prevención de riesgos laborales que resulte aplicable, salvo aquellos que sean inherentes a la realización de la prestación del servicio de manera presencial.

4. La Administración proporcionará y mantendrá a las personas que trabajen en esta modalidad, los medios tecnológicos necesarios para su actividad.

5. El personal laboral al servicio de las Administraciones Públicas se regirá, en materia de teletrabajo, por lo previsto en el presente Estatuto y por sus normas de desarrollo.

Artículo 47 bis añadido por el Real Decreto-Ley 29/2020, de 29 de septiembre, de medidas urgentes en materia de teletrabajo en las Administraciones Públicas y de recursos humanos en el Sistema Nacional de Salud para hacer frente a la crisis sanitaria ocasionada por la COVID-19 (BOE núm. 259, 30 de septiembre de 2020).

Artículo 48. *Permisos de los funcionarios públicos.* Los funcionarios públicos tendrán los siguientes permisos:

a) Por accidente o enfermedad graves, hospitalización o intervención quirúrgica sin hospitalización que precise de reposo domiciliario del cónyuge, pareja de hecho o parientes hasta el primer grado por consanguinidad o afinidad, así como de cualquier otra persona distinta de las anteriores que conviva con el funcionario o funcionaria en el mismo domicilio y que requiera el cuidado efectivo de aquella, cinco días hábiles.

Cuando se trate de accidente o enfermedad graves, hospitalización o intervención quirúrgica sin hospitalización que precise de reposo domiciliario, de un familiar dentro del segundo grado de consanguinidad o afinidad, el permiso será de cuatro días hábiles.

Cuando se trate de fallecimiento del cónyuge, pareja de hecho o familiar dentro del primer grado de consanguinidad o afinidad, tres días hábiles cuando el suceso se produzca en la misma localidad, y cinco días hábiles, cuando sea en distinta localidad. En el caso de fallecimiento de familiar dentro del segundo grado de consanguinidad o afinidad, el permiso será de dos días hábiles cuando se produzca en la misma localidad y de cuatro días hábiles cuando sea en distinta localidad.

Letra a) redactada por el Real Decreto-ley 5/2023, de 28 de junio, por el que se adoptan y prorrogan determinadas medidas de respuesta a las consecuencias económicas y sociales de la Guerra de Ucrania, de apoyo a la reconstrucción de La Palma y a otras situaciones de vulnerabilidad; de transposición de Directivas de la Unión Europea en materia de modificaciones estructurales de sociedades mercantiles y conciliación de la vida familiar y la vida profesional de los progenitores y los cuidadores; y de ejecución y cumplimiento del Derecho de la Unión Europea (BOE núm. 150, 29 de junio de 2023; correc. BOE núm. 156, 1 de julio de 2023).

b) Por traslado de domicilio sin cambio de residencia, un día.

c) Para realizar funciones sindicales o de representación del personal, en los términos que se determine.

d) Para concurrir a exámenes finales y demás pruebas definitivas de aptitud, durante los días de su celebración.

e) Por el tiempo indispensable para la realización de exámenes prenatales y técnicas de preparación al parto por las funcionarias embarazadas y, en los casos de adopción o acogimiento, o guarda con fines de adopción, para la asistencia a las preceptivas sesiones de información y preparación y para la realización de los preceptivos informes psicológicos y sociales previos a la declaración de idoneidad, que deban realizarse dentro de la jornada de trabajo.

A efectos de lo dispuesto en este apartado, el término de funcionarias embarazadas incluye también a las personas funcionarias trans gestantes.

Párrafo segundo añadido por la Ley 4/2023, de 28 de febrero, para la igualdad real y efectiva de las personas trans y para la garantía de los derechos de las personas LGTBI (BOE núm. 51, 1 de marzo de 2023).

f) Por lactancia de un hijo menor de doce meses tendrán derecho a una hora de ausencia del trabajo que podrá dividir en dos fracciones. Este derecho podrá sustituirse por una reducción de la jornada normal en media hora al inicio y al final de la jornada, o en una hora al inicio o al final de la jornada, con la misma finalidad.

El permiso contemplado en este apartado constituye un derecho individual de los funcionarios, sin que pueda transferirse su ejercicio al otro progenitor, adoptante, guardador o acogedor.

Se podrá solicitar la sustitución del tiempo de lactancia por un permiso retribuido que acumule en jornadas completas el tiempo correspondiente. Esta modalidad se podrá disfrutar únicamente a partir de la finalización del permiso por nacimiento, adopción, guarda, acogimiento o del progenitor diferente de la madre biológica respectivo.

Este permiso se incrementará proporcionalmente en los casos de parto, adopción, guarda con fines de adopción o acogimiento múltiple.

Letra f) redactada por la Ley 11/2020, de 30 de diciembre, de presupuestos generales del Estado para el año 2021 (BOE núm. 341, 31 de diciembre de 2020).

g) Por nacimiento de hijos prematuros o que por cualquier otra causa deban permanecer hospitalizados a continuación del parto, la funcionaria o el funcionario tendrá derecho a ausentarse del trabajo durante un máximo de dos horas diarias percibiendo las retribuciones íntegras.

Asimismo, tendrán derecho a reducir su jornada de trabajo hasta un máximo de dos horas, con la disminución proporcional de sus retribuciones.

h) Por razones de guarda legal, cuando el funcionario tenga el cuidado directo de algún menor de doce años, de persona mayor que requiera especial dedicación, o de una persona con discapacidad que no desempeñe actividad retribuida, tendrá derecho a la reducción de su jornada de trabajo, con la disminución de sus retribuciones que corresponda.

Tendrá el mismo derecho el funcionario que precise encargarse del cuidado directo de un familiar, hasta el segundo grado de consanguinidad o afinidad, que por razones de edad, accidente o enfermedad no pueda valerse por sí mismo y que no desempeñe actividad retribuida.

i) Por ser preciso atender el cuidado de un familiar de primer grado, el funcionario tendrá derecho a solicitar una reducción de hasta el cincuenta por ciento de la jornada laboral, con carácter retribuido, por razones de enfermedad muy grave y por el plazo máximo de un mes.

Si hubiera más de un titular de este derecho por el mismo hecho causante, el tiempo de disfrute de esta reducción se podrá prorratear entre los mismos, respetando en todo caso, el plazo máximo de un mes.

j) Por tiempo indispensable para el cumplimiento de un deber inexcusable de carácter público o personal y por deberes relacionados con la conciliación de la vida familiar y laboral.

k) Por asuntos particulares, seis días al año.

l) Por matrimonio o registro o constitución formalizada por documento público de pareja de hecho, quince días.

Letra l) redactada por el Real Decreto-ley 5/2023, de 28 de junio, por el que se adoptan y prorrogan determinadas medidas de respuesta a las consecuencias económicas y sociales de la Guerra de Ucrania, de apoyo a la reconstrucción de La Palma y a otras situaciones de vulnerabilidad; de transposición de Directivas de la Unión Europea en materia de modificaciones estructurales de sociedades mercantiles y conciliación de la vida familiar y la vida profesional de los progenitores y los cuidadores; y de ejecución y cumplimiento del Derecho de la Unión Europea (BOE núm. 150, 29 de junio de 2023; correc. BOE núm. 156, 1 de julio de 2023).

m) Por el tiempo indispensable para la realización de los actos preparatorios de la donación de órganos o tejidos siempre que deban tener lugar dentro de la jornada de trabajo.

Letra m) añadida por la Ley 6/2024, de 20 de diciembre, para la mejora de la protección de las personas donantes en vivo de órganos o tejidos para su posterior trasplante (BOE núm. 307, 21 de diciembre de 2024).

Artículo 49. *Permisos por motivos de conciliación de la vida personal, familiar y laboral, por razón de violencia de género o de violencia sexual y para las víctimas de terrorismo y sus familiares directos.*

Rúbrica redactada por la Ley orgánica 10/2022, de 6 de septiembre, de garantía integral de la libertad sexual (BOE núm. 215, 7 de septiembre de 2022).

En todo caso se concederán los siguientes permisos con las correspondientes condiciones mínimas:

a) Permiso por nacimiento para la madre biológica: tendrá una duración de diecinueve semanas.

En el supuesto de monoparentalidad, por existir una única persona progenitora, el permiso será de treinta y dos semanas.

En los casos de parto prematuro y en aquellos en que, por cualquier otra causa, el neonato deba permanecer hospitalizado a continuación del parto, este permiso se ampliará en tantos días como el neonato se encuentre hospitalizado, con un máximo de trece semanas adicionales.

En el supuesto de fallecimiento del hijo o hija, el periodo de duración del permiso no se verá reducido, salvo que, una vez finalizadas las seis semanas de descanso obligatorio, se solicite la reincorporación al puesto de trabajo.

Este permiso se ampliará para ambos progenitores en dos semanas más en el supuesto de discapacidad del hijo o hija y, por cada hijo o hija a partir del segundo en los supuestos de parto múltiple, una para cada uno de los progenitores.

En caso de fallecimiento de la madre, el otro progenitor podrá hacer uso de la totalidad o, en su caso, de la parte que reste de permiso.

El permiso por el cuidado de menor se distribuye de la siguiente manera:

1.º Seis semanas ininterrumpidas inmediatamente posteriores al parto, serán obligatorias y habrán de disfrutarse a jornada completa.

2.º Once semanas, veintidós en el caso de monoparentalidad, que podrán distribuirse a voluntad de la madre, en períodos semanales a disfrutar de forma acumulada o interrumpida y ejercitarse desde la finalización del descanso obligatorio posterior al parto hasta que el hijo o la hija cumpla doce meses.

3.º Dos semanas, cuatro en el caso de monoparentalidad, para el cuidado del menor que podrán distribuirse a voluntad de la madre, en períodos semanales de forma acumulada o interrumpida hasta que el hijo o la hija cumpla los ocho años.

Este permiso, constituye un derecho individual de la madre biológica, sin que pueda transferirse su ejercicio.

El permiso previsto en los apartados 2.º y 3.º podrá disfrutarse a jornada completa o a tiempo parcial, cuando las necesidades del servicio lo permitan, y en los términos que reglamentariamente se determinen, conforme a las reglas establecidas en el presente artículo.

En el caso del disfrute interrumpido del permiso se requerirá, para cada período de disfrute, un preaviso de al menos quince días y se realizará por semanas completas.

En el caso de las semanas a que se refiere el párrafo 3.º, cuando concurran en ambas personas progenitoras, adoptantes, o acogedoras, por el mismo sujeto y hecho causante, y el período solicitado altere seriamente el correcto funcionamiento de la unidad de la administración en la que ambas presten servicios, esta podrá aplazar la concesión del permiso por un período razonable, justificándolo por escrito y después de haber ofrecido una alternativa de disfrute más flexible.

Durante el disfrute de este permiso, una vez finalizado el período de descanso obligatorio, se podrá participar en los cursos de formación que convoque la Administración.

A efectos de lo dispuesto en este apartado, el término de madre biológica incluye también a las personas trans gestantes.

Letra a) redactada por el Real Decreto-Ley 9/2025, de 29 de julio, por el que se amplía el permiso de nacimiento y cuidado, mediante la modificación del texto refundido de la Ley del Estatuto de los Trabajadores, aprobado por el Real Decreto Legislativo 2/2015, de 23 de octubre, el texto refundido de la Ley del Estatuto Básico del Empleado Público, aprobado por Real Decreto Legislativo 5/2015, de 30 de octubre, y el texto refundido de la Ley General de la Seguridad Social, aprobado por Real Decreto Legislativo 8/2015, de 30 de octubre, para completar la transposición de la Directiva (UE) 2019/1158 del Parlamento Europeo y del Consejo, de 20 de junio de 2019, relativa a la conciliación de la vida familiar y la vida profesional de los progenitores y los cuidadores, y por la que se deroga la Directiva 2010/18/UE del Consejo (BOE núm. 182, 30 de julio de 2025).

b) Permiso por adopción, por guarda con fines de adopción, o acogimiento, tanto temporal como permanente: tendrá una duración de diecinueve semanas para cada adoptante, guardador o acogedor.

En el supuesto de monoparentalidad, por existir una única persona progenitora, el permiso será de treinta y dos semanas.

Este permiso se ampliará para ambos progenitores en dos semanas más en el supuesto de discapacidad del hijo o hija y, por cada hijo o hija a partir del segundo en los supuestos de nacimiento, adopción, guarda con fines de adopción o acogimiento múltiples, una para cada uno de los progenitores.

El permiso de cada uno de los progenitores por el cuidado de menor se distribuye de la siguiente manera:

1.º Seis semanas ininterrumpidas inmediatamente posteriores a la resolución judicial por la que se constituye la adopción o bien de la decisión administrativa de guarda con fines de adopción o de acogimiento, serán obligatorias y habrán de disfrutarse a jornada completa.

2.º Once semanas, veintidós en el caso de monoparentalidad, que podrán distribuirse a voluntad de aquellos, en períodos semanales a disfrutar de forma acumulada o interrumpida y ejercitarse desde la finalización del descanso obligatorio posterior al hecho causante dentro de los doce meses a contar o bien desde el nacimiento del hijo o hija, o bien desde la resolución judicial por la que se constituye la adopción o bien de la decisión administrativa de guarda con fines de adopción o de acogimiento.

3.º Dos semanas, cuatro en el caso de monoparentalidad, para el cuidado del menor que podrán distribuirse a voluntad de aquellos, en períodos semanales de forma acumulada o interrumpida hasta que el hijo o la hija cumpla los ocho años.

En ningún caso un mismo menor podrá dar derecho a varios periodos de disfrute de este permiso.

Este permiso constituye un derecho individual de las personas progenitoras, adoptantes o acogedoras, hombres o mujeres, sin que pueda transferirse su ejercicio.

El permiso previsto en los apartados 2.º y 3.º podrá disfrutarse a jornada completa o a tiempo parcial, cuando las necesidades del servicio lo permitan, y en los términos que reglamentariamente se determinen, conforme a las reglas establecidas en el presente artículo.

En el caso del disfrute interrumpido del permiso se requerirá, para cada período de disfrute, un preaviso de al menos quince días y se realizará por semanas completas.

En el caso de las semanas a que se refiere el párrafo 3.º, cuando concurran en ambas personas progenitoras, adoptantes, o acogedoras, por el mismo sujeto y hecho causante, y el período solicitado altere seriamente el correcto funcionamiento de la unidad de la administración en la que ambas presten servicios, esta podrá aplazar la concesión del permiso por un período razonable, justificándolo por escrito y después de haber ofrecido una alternativa de disfrute más flexible.

Si fuera necesario el desplazamiento previo de los progenitores al país de origen del adoptado, en los casos de adopción o acogimiento internacional, se tendrá derecho, además, a un permiso de hasta dos meses de duración, percibiendo durante este periodo exclusivamente las retribuciones básicas.

Con independencia del permiso de hasta dos meses previsto en el párrafo anterior y para el supuesto contemplado en dicho párrafo, el permiso por adopción, guarda con fines de adopción o acogimiento, tanto temporal como permanente, podrá iniciarse hasta cuatro semanas antes de la resolución judicial por la que se constituya la adopción o la decisión administrativa o judicial de acogimiento.

Durante el disfrute de este permiso, una vez finalizado el período de descanso obligatorio, se podrá participar en los cursos de formación que convoque la Administración.

Los supuestos de adopción, guarda con fines de adopción o acogimiento, tanto temporal como permanente, previstos en este artículo serán los que así se establezcan en el Código Civil o en las leyes civiles de las comunidades autónomas que los regulen, debiendo tener el acogimiento temporal una duración no inferior a un año.

Letra b) redactada por el Real Decreto-Ley 9/2025, de 29 de julio, por el que se amplía el permiso de nacimiento y cuidado, mediante la modificación del texto refundido de la Ley del Estatuto de los Trabajadores, aprobado por el Real Decreto Legislativo 2/2015, de 23 de octubre, el texto refundido de la Ley del Estatuto Básico del Empleado Público, aprobado por Real Decreto Legislativo 5/2015, de 30 de octubre, y el texto refundido de la Ley General de la Seguridad Social, aprobado por Real Decreto Legislativo 8/2015, de 30 de octubre, para completar la transposición de la Directiva (UE) 2019/1158 del Parlamento Europeo y del Consejo, de 20 de junio de 2019, relativa a la conciliación de la vida familiar y la vida profesional de los progenitores y los cuidadores, y por la que se deroga la Directiva 2010/18/UE del Consejo (BOE núm. 182, 30 de julio de 2025).

c) Permiso del progenitor diferente de la madre biológica por nacimiento, guarda con fines de adopción, acogimiento o adopción de un hijo o hija: tendrá una duración de diecinueve semanas.

En el supuesto de monoparentalidad, por existir una única persona progenitora, el permiso será de treinta y dos semanas.

En los casos de parto prematuro y en aquellos en que, por cualquier otra causa, el neonato deba permanecer hospitalizado a continuación del parto, este permiso se ampliará en tantos días como el neonato se encuentre hospitalizado, con un máximo de trece semanas adicionales.

En el supuesto de fallecimiento del hijo o hija, el periodo de duración del permiso no se verá reducido, salvo que, una vez finalizadas las seis semanas de descanso obligatorio se solicite la reincorporación al puesto de trabajo.

Este permiso se ampliará para ambos progenitores en dos semanas más en el supuesto de discapacidad del hijo o hija y, por cada hijo o hija a partir del segundo en los supuestos de nacimiento, adopción, guarda con fines de adopción o acogimiento múltiples, una para cada uno de los progenitores.

En caso de fallecimiento del progenitor distinto de la madre biológica, el otro progenitor podrá hacer uso de la totalidad o, en su caso, de la parte que reste de permiso.

El permiso de cada uno de los progenitores por el cuidado de menor se distribuye de la siguiente manera:

1.º Seis semanas ininterrumpidas inmediatamente posteriores a la resolución judicial por la que se constituye la adopción o bien de la decisión administrativa de guarda con fines de adopción o de acogimiento, serán obligatorias y habrán de disfrutarse a jornada completa.

2.º Once semanas, veintidós en el caso de monoparentalidad, que podrán distribuirse a voluntad de aquellos, en períodos semanales a disfrutar de forma acumulada o interrumpida y ejercitarse desde la finalización del descanso obligatorio posterior al hecho causante dentro de los doce meses a contar o bien desde el nacimiento del hijo o hija, o bien desde la resolución judicial por la que se constituye la adopción o bien de la decisión administrativa de guarda con fines de adopción o de acogimiento.

3.º Dos semanas, cuatro en el caso de monoparentalidad, para el cuidado del menor que podrán distribuirse a voluntad de aquellos, en períodos semanales de forma acumulada o interrumpida hasta que el hijo o la hija cumpla los ocho años.

Este permiso constituye un derecho individual de las personas progenitoras, adoptantes o acogedoras, hombres o mujeres, sin que pueda transferirse su ejercicio.

El permiso previsto en los apartados 2.º y 3.º podrá disfrutarse a jornada completa o a tiempo parcial, cuando las necesidades del servicio lo permitan, y en los términos que reglamentariamente se determinen, conforme a las reglas establecidas en el presente artículo.

En el caso del disfrute interrumpido del permiso se requerirá, para cada período de disfrute, un preaviso de al menos quince días y se realizará por semanas completas.

En el caso de que se optara por el disfrute del presente permiso con posterioridad a la semana dieciséis del permiso por nacimiento, si el progenitor que disfruta de este último permiso hubiere solicitado la acumulación del tiempo de lactancia de un hijo menor de doce meses en jornadas completas del apartado f) del artículo 48, será a la finalización de ese período cuando se dará inicio al cómputo del periodo de las doce semanas restantes del permiso del progenitor diferente de la madre biológica.

En el caso de las semanas a que se refiere el párrafo 3.º, cuando concurran en ambas personas progenitoras, adoptantes, o acogedoras, por el mismo sujeto y hecho causante, y el período solicitado altere seriamente el correcto funcionamiento de la unidad de la administración en la que ambas presten servicios, esta podrá aplazar la concesión del permiso por un período razonable, justificándolo por escrito y después de haber ofrecido una alternativa de disfrute más flexible.

Durante el disfrute de este permiso, una vez finalizado el período de descanso obligatorio, se podrá participar en los cursos de formación que convoque la Administración.

En los casos previstos en los apartados a), b), y c) el tiempo trans-currido durante el disfrute de estos permisos se computará como de servicio efectivo a todos los efectos, garantizándose la plenitud de de-rechos económicos de la funcionaria y, en su caso, del otro progenitor funcionario, durante todo el periodo de duración del permiso, y, en su caso, durante los periodos posteriores al disfrute de este, si de acuerdo con la normativa aplicable, el derecho a percibir algún concepto re-tributivo se determina en función del periodo de disfrute del permiso.

Los funcionarios que hayan hecho uso del permiso por nacimiento, adopción, guarda con fines de adopción o acogimiento, tanto temporal como permanente, tendrán derecho, una vez finalizado el periodo de permiso, a reintegrarse a su puesto de trabajo en términos y condicio-nes que no les resulten menos favorables al disfrute del permiso, así como a beneficiarse de cualquier mejora en las condiciones de trabajo a las que hubieran podido tener derecho durante su ausencia.

Letra c) redactada por el Real Decreto-Ley 9/2025, de 29 de julio, por el que se amplía el permiso de nacimiento y cuidado, mediante la modificación del texto refundido de la Ley del Estatuto de los Trabajadores, aprobado por el Real Decreto Legislativo 2/2015, de 23 de octubre, el texto refundido de la Ley del Estatuto Básico del Empleado Público, aprobado por Real Decreto Legislativo 5/2015, de 30 de octubre, y el texto refundido de la Ley General de la Seguridad Social, aprobado por Real Decreto Legislativo 8/2015, de 30 de octubre, para completar la transposición de la Directiva (UE) 2019/1158 del Parlamento Europeo y del Consejo, de 20 de junio de 2019, relativa a la conciliación de la vida familiar y la vida profesional de los progenitores y los cuidadores, y por la que se deroga la Directiva 2010/18/UE del Consejo (BOE núm. 182, 30 de julio de 2025).

d) Permiso por razón de violencia de género o de violencia sexual sobre la mujer funcionaria: las faltas de asistencia de las funcionarias víctimas de violencia de género o de violencia sexual, totales o par-ciales, tendrán la consideración de justificadas por el tiempo y en las condiciones en que así lo determinen los servicios sociales de atención o de salud según proceda.

Asimismo, las funcionarias víctimas de violencia sobre la mujer o de violencia sexual, para hacer efectiva su protección o su derecho de asistencia social integral, tendrán derecho a la reducción de la jornada con disminución proporcional de la retribución, o la reordenación del tiempo de trabajo, a través de la adaptación del horario, de la aplicación del horario flexible o de otras formas de ordenación del tiempo de trabajo que sean aplicables, en los términos que para estos supuestos establezca el plan de igualdad de aplicación o, en su defecto, la Administración pública competente en cada caso.

En el supuesto enunciado en el párrafo anterior, la funcionaria pública mantendrá sus retribuciones íntegras cuando reduzca su jornada en un tercio o menos.

Letra d) redactada por la Ley orgánica 2/2024, de 1 de agosto, de representación paritaria y presencia equilibrada de mujeres y hombres (BOE núm. 186, 2 de agosto de 2024).

e) Permiso por cuidado de hijo menor, afectado por cáncer u otra enfermedad grave: el funcionario tendrá derecho, siempre que ambas personas progenitoras, adoptantes, guardadoras con fines de adopción o acogedoras de carácter permanente trabajen, a una reducción de la jornada de trabajo de al menos la mitad de la duración de aquélla, percibiendo las retribuciones íntegras con cargo a los presupuestos del órgano o entidad donde venga prestando sus servicios, para el cuidado, durante la hospitalización y tratamiento continuado, del hijo o hija menor de edad, afectado por cáncer (tumores malignos, melanomas o carcinomas) o por cualquier otra enfermedad grave que implique un ingreso hospitalario de larga duración y requiera la necesidad de su cuidado directo, continuo y permanente acreditado por el informe del servicio público de salud u órgano administrativo sanitario de la comunidad autónoma o, en su caso, de la entidad sanitaria concertada correspondiente y, como máximo, hasta que el hijo o persona que hubiere sido objeto de acogimiento permanente o guarda con fines de adopción cumpla los 23 años. A estos efectos, el mero cumplimiento de los 18 años del hijo o del menor sujeto a acogimiento permanente o a guarda con fines de adopción, no será causa de extinción de la reducción de la jornada, si se mantiene la necesidad de cuidado directo, continuo y permanente.

No obstante, cumplidos los 18 años, se podrá reconocer el derecho a la reducción de jornada hasta que la persona a su cargo cumpla los 23 años en los supuestos en que el padecimiento del cáncer o enfermedad grave haya sido diagnosticado antes de alcanzar la mayoría de edad, siempre que en el momento de la solicitud se acrediten los requisitos establecidos en los párrafos anteriores, salvo la edad.

Asimismo, se mantendrá el derecho a esta reducción de jornada hasta que la persona a su cargo cumpla 26 años si, antes de alcanzar los 23 años, acreditara, además, un grado de discapacidad igual o superior al 65 por ciento.

Cuando concurran en ambas personas progenitoras, adoptantes, guardadoras con fines de adopción o acogedoras de carácter permanente, por el mismo sujeto y hecho causante, las circunstancias necesarias para tener derecho a este permiso o, en su caso, puedan tener la condición de beneficiarias de la prestación establecida para este fin en el Régimen de la Seguridad Social que les sea de aplicación, el funcionario o funcionaria tendrá derecho a la percepción de las retribuciones íntegras durante el tiempo que dure la reducción de su jornada de trabajo, siempre que la otra persona progenitora, adoptante o guardadora con fines de adopción o acogedora de carácter permanente, sin perjuicio del derecho a la reducción de jornada que le corresponda, no cobre sus retribuciones íntegras en virtud de este permiso o como beneficiaria de la prestación establecida para este fin en el Régimen de la Seguridad Social que le sea de aplicación. En caso contrario, sólo se tendrá derecho a la reducción de jornada, con la consiguiente reducción de retribuciones.

Asimismo, en el supuesto de que ambos presten servicios en el mismo órgano o entidad, ésta podrá limitar su ejercicio simultáneo por razones fundadas en el correcto funcionamiento del servicio.

Cuando la persona enferma contraiga matrimonio o constituya una pareja de hecho, tendrá derecho al permiso quien sea su cónyuge o pareja de hecho, siempre que acredite las condiciones para ser beneficiario

Reglamentariamente se establecerán las condiciones y supuestos en los que esta reducción de jornada se podrá acumular en jornadas completas.

Letra e) redactada por el Real Decreto-ley 2/2023, de 16 de marzo, de medidas urgentes para la ampliación de derechos de los pensionistas, la reducción de la brecha de género y el establecimiento de un nuevo marco de sostenibilidad del sistema público de pensiones (BOE núm. 65, 17 de marzo de 2023).

f) Para hacer efectivo su derecho a la protección y a la asistencia social integral, los funcionarios que hayan sufrido daños físicos o psíquicos como consecuencia de la actividad terrorista, su cónyuge o persona con análoga relación de afectividad, y los hijos de los heridos y fallecidos, siempre que ostenten la condición de funcionarios y de víctimas del terrorismo de acuerdo con la legislación vigente, así como los funcionarios amenazados en los términos del artículo 5 de la Ley 29/2011, de 22 de septiembre, de Reconocimiento y Protección Integral a las Víctimas del Terrorismo, previo reconocimiento del Ministerio del Interior o de sentencia judicial firme, tendrán derecho a la reducción de la jornada con disminución proporcional de la retribución, o a la reordenación del tiempo de trabajo, a través de la adaptación del horario, de la aplicación del horario flexible o de otras formas de ordenación del tiempo de trabajo que sean aplicables, en los términos que establezca la Administración competente en cada caso.

Dichas medidas serán adoptadas y mantenidas en el tiempo en tanto que resulten necesarias para la protección y asistencia social integral de la persona a la que se concede, ya sea por razón de las secuelas provocadas por la acción terrorista, ya sea por la amenaza a la que se encuentra sometida, en los términos previstos reglamentariamente.

g) Permiso parental para el cuidado de hijo, hija o menor acogido por tiempo superior a un año, hasta el momento en que el menor cumpla ocho años: no tendrá carácter retribuido y tendrá una duración no superior a ocho semanas, continuas o discontinuas, podrá disfrutarse a tiempo completo, o en régimen de jornada a tiempo parcial, cuando las necesidades del servicio lo permitan y conforme a los términos que reglamentariamente se establezcan.

Este permiso, constituye un derecho individual de las personas progenitoras, adoptantes o acogedoras, hombres o mujeres, sin que pueda transferirse su ejercicio.

Cuando las necesidades del servicio lo permitan, corresponderá a la persona progenitora, adoptante o acogedora especificar la fecha de inicio y fin del disfrute o, en su caso, de los períodos de disfrute, debiendo comunicarlo a la Administración con una antelación de quince días y realizándose por semanas completas.

Cuando concurran en ambas personas progenitoras, adoptantes, o acogedoras, por el mismo sujeto y hecho causante, las circunstancias necesarias para tener derecho a este permiso en los que el disfrute del permiso parental en el período solicitado altere seriamente el correcto funcionamiento de la unidad de la administración en la que ambas presten servicios, esta podrá aplazar la concesión del permiso por un período razonable, justificándolo por escrito y después de haber ofrecido una alternativa de disfrute más flexible.

A efectos de lo dispuesto en este apartado, el término de madre biológica incluye también a las personas trans gestantes.

Letra g) redactada por el Real Decreto-Ley 9/2025, de 29 de julio, por el que se amplía el permiso de nacimiento y cuidado, mediante la modificación del texto refundido de la Ley del Estatuto de los Trabajadores, aprobado por el Real Decreto Legislativo 2/2015, de 23 de octubre, el texto refundido de la Ley del Estatuto Básico del Empleado Público, aprobado por Real Decreto Legislativo 5/2015, de 30 de octubre, y el texto refundido de la Ley General de la Seguridad Social, aprobado por Real Decreto Legislativo 8/2015, de 30 de octubre, para completar la transposición de la Directiva (UE) 2019/1158 del Parlamento Europeo y del Consejo, de 20 de junio de 2019, relativa a la conciliación de la vida familiar y la vida profesional de los progenitores y los cuidadores, y por la que se deroga la Directiva 2010/18/UE del Consejo (BOE núm. 182, 30 de julio de 2025).

Artículo 50. *Vacaciones de los funcionarios públicos.* 1. Los funcionarios públicos tendrán derecho a disfrutar, durante cada año natural, de unas vacaciones retribuidas de veintidós días hábiles, o de los días que correspondan proporcionalmente si el tiempo de servicio durante el año fue menor.

A los efectos de lo previsto en el presente artículo, no se considerarán como días hábiles los sábados, sin perjuicio de las adaptaciones que se establezcan para los horarios especiales.

2. Cuando las situaciones de permiso de maternidad, incapacidad temporal, riesgo durante la lactancia o riesgo durante el embarazo impidan iniciar el disfrute de las vacaciones dentro del año natural al que correspondan, o una vez iniciado el periodo vacacional sobreviniera una de dichas situaciones, el periodo vacacional se podrá disfrutar aunque haya terminado el año natural a que correspondan y siempre que no hayan transcurrido más de dieciocho meses a partir del final del año en que se hayan originado.

3. El período de vacaciones anuales retribuidas de los funcionarios públicos no puede ser sustituido por una cuantía económica. En los casos de renuncia voluntaria deberá garantizarse en todo caso el disfrute de las vacaciones devengadas.

No obstante lo anterior, en los casos de conclusión de la relación de servicios de los funcionarios públicos por causas ajenas a la voluntad de estos, tendrán derecho a solicitar el abono de una compensación económica por las vacaciones devengadas y no disfrutadas; y en particular, en los casos de jubilación por incapacidad permanente o por fallecimiento, hasta un máximo de dieciocho meses.

Apartado 3 añadido por la Ley 11/2020, de 30 de diciembre, de presupuestos generales del Estado para el año 2021 (BOE núm. 341, 31 de diciembre).

Artículo 51. *Jornada de trabajo, permisos y vacaciones del personal laboral.* Para el régimen de jornada de trabajo, permisos y vacaciones del personal laboral se estará a lo establecido en este capítulo y en la legislación laboral correspondiente.

CAPÍTULO VI
DEBERES DE LOS EMPLEADOS PÚBLICOS. CÓDIGO DE CONDUCTA

Artículo 52. *Deberes de los empleados públicos. Código de Conducta.* Los empleados públicos deberán desempeñar con diligencia las tareas que tengan asignadas y velar por los intereses generales con sujeción y observancia de la Constitución y del resto del ordenamiento jurídico, y deberán actuar con arreglo a los siguientes principios: objetividad, integridad, neutralidad, responsabilidad, imparcialidad, confidencialidad, dedicación al servicio público, transparencia, ejemplaridad, austeridad, accesibilidad, eficacia, honradez, promoción del entorno cultural y medioambiental, y respeto a la igualdad entre mujeres y hombres, que inspiran el Código de Conducta de los empleados públicos configurado por los principios éticos y de conducta regulados en los artículos siguientes.

Los principios y reglas establecidos en este capítulo informarán la interpretación y aplicación del régimen disciplinario de los empleados públicos.

Artículo 53. *Principios éticos.* 1. Los empleados públicos respetarán la Constitución y el resto de normas que integran el ordenamiento jurídico.

2. Su actuación perseguirá la satisfacción de los intereses generales de los ciudadanos y se fundamentará en consideraciones objetivas orientadas hacia la imparcialidad y el interés común, al margen de cualquier otro factor que exprese posiciones personales, familiares, corporativas, clientelares o cualesquiera otras que puedan colisionar con este principio.

3. Ajustarán su actuación a los principios de lealtad y buena fe con la Administración en la que presten sus servicios, y con sus superiores, compañeros, subordinados y con los ciudadanos.

4. Su conducta se basará en el respeto de los derechos fundamentales y libertades públicas, evitando toda actuación que pueda producir discriminación alguna por razón de nacimiento, origen racial o étnico, género, sexo, orientación e identidad sexual, expresión de género, características sexuales, religión o convicciones, opinión, discapacidad, edad o cualquier otra condición o circunstancia personal o social.

Apartado 4 redactado por la Ley 4/2023, de 28 de febrero, para la igualdad real y efectiva de las personas trans y para la garantía de los derechos de las personas LGTBI (BOE núm. 51, 1 de marzo de 2023).

5. Se abstendrán en aquellos asuntos en los que tengan un interés personal, así como de toda actividad privada o interés que pueda suponer un riesgo de plantear conflictos de intereses con su puesto público.

6. No contraerán obligaciones económicas ni intervendrán en operaciones financieras, obligaciones patrimoniales o negocios jurídicos con personas o entidades cuando pueda suponer un conflicto de intereses con las obligaciones de su puesto público.

7. No aceptarán ningún trato de favor o situación que implique privilegio o ventaja injustificada, por parte de personas físicas o entidades privadas.

8. Actuarán de acuerdo con los principios de eficacia, economía y eficiencia, y vigilarán la consecución del interés general y el cumplimiento de los objetivos de la organización.

9. No influirán en la agilización o resolución de trámite o procedimiento administrativo sin justa causa y, en ningún caso, cuando ello comporte un privilegio en beneficio de los titulares de los cargos públicos o su entorno familiar y social inmediato o cuando suponga un menoscabo de los intereses de terceros.

10. Cumplirán con diligencia las tareas que les correspondan o se les encomienden y, en su caso, resolverán dentro de plazo los procedimientos o expedientes de su competencia.

11. Ejercerán sus atribuciones según el principio de dedicación al servicio público absteniéndose no solo de conductas contrarias al mismo, sino también de cualesquiera otras que comprometan la neutralidad en el ejercicio de los servicios públicos.

12. Guardarán secreto de las materias clasificadas u otras cuya difusión esté prohibida legalmente, y mantendrán la debida discreción sobre aquellos asuntos que conozcan por razón de su cargo, sin que puedan hacer uso de la información obtenida para beneficio propio o de terceros, o en perjuicio del interés público.

Artículo 54. *Principios de conducta*. 1. Tratarán con atención y respeto a los ciudadanos, a sus superiores y a los restantes empleados públicos.

2. El desempeño de las tareas correspondientes a su puesto de trabajo se realizará de forma diligente y cumpliendo la jornada y el horario establecidos.

3. Obedecerán las instrucciones y órdenes profesionales de los superiores, salvo que constituyan una infracción manifiesta del ordenamiento jurídico, en cuyo caso las pondrán inmediatamente en conocimiento de los órganos de inspección procedentes.

4. Informarán a los ciudadanos sobre aquellas materias o asuntos que tengan derecho a conocer, y facilitarán el ejercicio de sus derechos y el cumplimiento de sus obligaciones.

5. Administrarán los recursos y bienes públicos con austeridad, y no utilizarán los mismos en provecho propio o de personas allegadas. Tendrán, asimismo, el deber de velar por su conservación.

6. Se rechazará cualquier regalo, favor o servicio en condiciones ventajosas que vaya más allá de los usos habituales, sociales y de cortesía, sin perjuicio de lo establecido en el Código Penal.

7. Garantizarán la constancia y permanencia de los documentos para su transmisión y entrega a sus posteriores responsables.

8. Mantendrán actualizada su formación y cualificación.

9. Observarán las normas sobre seguridad y salud laboral.

10. Pondrán en conocimiento de sus superiores o de los órganos competentes las propuestas que consideren adecuadas para mejorar el desarrollo de las funciones de la unidad en la que estén destinados. A estos efectos se podrá prever la creación de la instancia adecuada competente para centralizar la recepción de las propuestas de los empleados públicos o administrados que sirvan para mejorar la eficacia en el servicio.

11. Garantizarán la atención al ciudadano en la lengua que lo solicite siempre que sea oficial en el territorio.

TÍTULO IV
ADQUISICIÓN Y PÉRDIDA DE LA RELACIÓN DE SERVICIO

CAPÍTULO I
ACCESO AL EMPLEO PÚBLICO Y ADQUISICIÓN
DE LA RELACIÓN DE SERVICIO

Artículo 55. *Principios rectores*. 1. Todos los ciudadanos tienen derecho al acceso al empleo público de acuerdo con los principios constitucionales de igualdad, mérito y capacidad, y de acuerdo con lo previsto en el presente Estatuto y en el resto del ordenamiento jurídico.

2. Las Administraciones Públicas, entidades y organismos a que se refiere el artículo 2 del presente Estatuto seleccionarán a su personal funcionario y laboral mediante procedimientos en los que se garanticen los principios constitucionales antes expresados, así como los establecidos a continuación:

a) Publicidad de las convocatorias y de sus bases.

b) Transparencia.

c) Imparcialidad y profesionalidad de los miembros de los órganos de selección.

d) Independencia y discrecionalidad técnica en la actuación de los órganos de selección.

e) Adecuación entre el contenido de los procesos selectivos y las funciones o tareas a desarrollar.

f) Agilidad, sin perjuicio de la objetividad, en los procesos de selección.

Artículo 56. *Requisitos generales.* 1. Para poder participar en los procesos selectivos será necesario reunir los siguientes requisitos:

a) Tener la nacionalidad española, sin perjuicio de lo dispuesto en el artículo siguiente.

b) Poseer la capacidad funcional para el desempeño de las tareas.

c) Tener cumplidos dieciséis años y no exceder, en su caso, de la edad máxima de jubilación forzosa. Sólo por ley podrá establecerse otra edad máxima, distinta de la edad de jubilación forzosa, para el acceso al empleo público.

d) No haber sido separado mediante expediente disciplinario del servicio de cualquiera de las Administraciones Públicas o de los órganos constitucionales o estatutarios de las Comunidades Autónomas, ni hallarse en inhabilitación absoluta o especial para empleos o cargos públicos por resolución judicial, para el acceso al cuerpo o escala de funcionario, o para ejercer funciones similares a las que desempeñaban en el caso del personal laboral, en el que hubiese sido separado o inhabilitado. En el caso de ser nacional de otro Estado, no hallarse inhabilitado o en situación equivalente ni haber sido sometido a sanción disciplinaria o equivalente que impida, en su Estado, en los mismos términos el acceso al empleo público.

e) Poseer la titulación exigida.

2. Las Administraciones Públicas, en el ámbito de sus competencias, deberán prever la selección de empleados públicos debidamente capacitados para cubrir los puestos de trabajo en las Comunidades Autónomas que gocen de dos lenguas oficiales.

3. Podrá exigirse el cumplimiento de otros requisitos específicos que guarden relación objetiva y proporcionada con las funciones asumidas y las tareas a desempeñar. En todo caso, habrán de establecerse de manera abstracta y general.

Artículo 57. *Acceso al empleo público de nacionales de otros Estados.* 1. Los nacionales de los Estados miembros de la Unión Europea podrán acceder, como personal funcionario, en igualdad de condiciones que los españoles a los empleos públicos, con excepción de aquellos que directa o indirectamente impliquen una participación en el ejercicio del poder público o en las funciones que tienen por objeto la salvaguardia de los intereses del Estado o de las Administraciones Públicas.

A tal efecto, los órganos de gobierno de las Administraciones Públicas determinarán las agrupaciones de funcionarios contempladas en el artículo 76 a las que no puedan acceder los nacionales de otros Estados.

2. Las previsiones del apartado anterior serán de aplicación, cualquiera que sea su nacionalidad, al cónyuge de los españoles y de los nacionales de otros Estados miembros de la Unión Europea, siempre que no estén separados de derecho y a sus descendientes y a los de su cónyuge siempre que no estén separados de derecho, sean menores de veintiún años o mayores de dicha edad dependientes.

3. El acceso al empleo público como personal funcionario, se extenderá igualmente a las personas incluidas en el ámbito de aplicación de los Tratados Internacionales celebrados por la Unión Europea y ratificados por España en los que sea de aplicación la libre circulación de trabajadores, en los términos establecidos en el apartado 1 de este artículo.

4. Los extranjeros a los que se refieren los apartados anteriores, así como los extranjeros con residencia legal en España podrán acceder a las Administraciones Públicas, como personal laboral, en igualdad de condiciones que los españoles.

5. Sólo por ley de las Cortes Generales o de las asambleas legislativas de las comunidades autónomas podrá eximirse del requisito de la nacionalidad por razones de interés general para el acceso a la condición de personal funcionario.

Artículo 58. *Acceso al empleo público de funcionarios españoles de Organismos Internacionales.* Las Administraciones Públicas establecerán los requisitos y condiciones para el acceso a las mismas de funcionarios de nacionalidad española de Organismos Internacionales, siempre que posean la titulación requerida y superen los correspondientes procesos selectivos. Podrán quedar exentos de la realización de aquellas pruebas que tengan por objeto acreditar conocimientos ya exigidos para el desempeño de su puesto en el organismo internacional correspondiente.

Artículo 59. *Personas con discapacidad.* 1. En las ofertas de empleo público se reservará un cupo no inferior al siete por ciento de las vacantes para ser cubiertas entre personas con discapacidad, considerando como tales las definidas en el apartado 2 del artículo 4 del texto refundido de la Ley General de derechos de las personas con discapacidad y de su inclusión social, aprobado por el Real Decreto Legislativo 1/2013, de 29 de noviembre, siempre que superen los procesos selectivos y acrediten su discapacidad y la compatibilidad con el desempeño de las tareas, de modo que progresivamente se alcance el dos por ciento de los efectivos totales en cada Administración Pública.

La reserva del mínimo del siete por ciento se realizará de manera que, al menos, el dos por ciento de las plazas ofertadas lo sea para ser cubiertas por personas que acrediten discapacidad intelectual y el resto de las plazas ofertadas lo sea para personas que acrediten cualquier otro tipo de discapacidad.

2. Cada Administración Pública adoptará las medidas precisas para establecer las adaptaciones y ajustes razonables de tiempos y medios en el proceso selectivo y, una vez superado dicho proceso, las adaptaciones en el puesto de trabajo a las necesidades de las personas con discapacidad.

Artículo 60. *Órganos de selección.* 1. Los órganos de selección serán colegiados y su composición deberá ajustarse a los principios de imparcialidad y profesionalidad de sus miembros, y se tenderá, asimismo, a la paridad entre mujer y hombre.

2. El personal de elección o de designación política, los funcionarios interinos y el personal eventual no podrán formar parte de los órganos de selección.

3. La pertenencia a los órganos de selección será siempre a título individual, no pudiendo ostentarse ésta en representación o por cuenta de nadie.

Artículo 61. *Sistemas selectivos.* 1. Los procesos selectivos tendrán carácter abierto y garantizarán la libre concurrencia, sin perjuicio de lo establecido para la promoción interna y de las medidas de discriminación positiva previstas en este Estatuto.

Los órganos de selección velarán por el cumplimiento del principio de igualdad de oportunidades entre sexos.

2. Los procedimientos de selección cuidarán especialmente la conexión entre el tipo de pruebas a superar y la adecuación al desempeño de las tareas de los puestos de trabajo convocados, incluyendo, en su caso, las pruebas prácticas que sean precisas.

Las pruebas podrán consistir en la comprobación de los conocimientos y la capacidad analítica de los aspirantes, expresados de forma oral o escrita, en la realización de ejercicios que demuestren la posesión de habilidades y destrezas, en la comprobación del dominio de lenguas extranjeras y, en su caso, en la superación de pruebas físicas.

3. Los procesos selectivos que incluyan, además de las preceptivas pruebas de capacidad, la valoración de méritos de los aspirantes sólo podrán otorgar a dicha valoración una puntuación proporcionada que no determinará, en ningún caso, por sí misma el resultado del proceso selectivo.

4. Las Administraciones Públicas podrán crear órganos especializados y permanentes para la organización de procesos selectivos, pudiéndose encomendar estas funciones a los Institutos o Escuelas de Administración Pública.

5. Para asegurar la objetividad y la racionalidad de los procesos selectivos, las pruebas podrán completarse con la superación de cursos, de periodos de prácticas, con la exposición curricular por los candidatos, con pruebas psicotécnicas o con la realización de entrevistas. Igualmente podrán exigirse reconocimientos médicos.

6. Los sistemas selectivos de funcionarios de carrera serán los de oposición y concurso-oposición que deberán incluir, en todo caso, una o varias pruebas para determinar la capacidad de los aspirantes y establecer el orden de prelación.

Sólo en virtud de ley podrá aplicarse, con carácter excepcional, el sistema de concurso que consistirá únicamente en la valoración de méritos.

7. Los sistemas selectivos de personal laboral fijo serán los de oposición, concurso-oposición, con las características establecidas en el apartado anterior, o concurso de valoración de méritos.

Las Administraciones Públicas podrán negociar las formas de colaboración que en el marco de los convenios colectivos fijen la actuación de las organizaciones sindicales en el desarrollo de los procesos selectivos.

8. Los órganos de selección no podrán proponer el acceso a la condición de funcionario de un número superior de aprobados al de plazas convocadas, excepto cuando así lo prevea la propia convocatoria.

No obstante lo anterior, siempre que los órganos de selección hayan propuesto el nombramiento de igual número de aspirantes que el de plazas convocadas, y con el fin de asegurar la cobertura de las mismas, cuando se produzcan renuncias de los aspirantes seleccionados, antes de su nombramiento o toma de posesión, el órgano convocante podrá requerir del órgano de selección relación complementaria de los aspirantes que sigan a los propuestos, para su posible nombramiento como funcionarios de carrera.

Artículo 62. *Adquisición de la condición de funcionario de carrera.* 1. La condición de funcionario de carrera se adquiere por el cumplimiento sucesivo de los siguientes requisitos:

a) Superación del proceso selectivo.

b) Nombramiento por el órgano o autoridad competente, que será publicado en el Diario Oficial correspondiente.

c) Acto de acatamiento de la Constitución y, en su caso, del Estatuto de Autonomía correspondiente y del resto del Ordenamiento Jurídico.

d) Toma de posesión dentro del plazo que se establezca.

2. A efectos de lo dispuesto en el apartado 1.b) anterior, no podrán ser funcionarios y quedarán sin efecto las actuaciones relativas a quienes no acrediten, una vez superado el proceso selectivo, que reúnen los requisitos y condiciones exigidos en la convocatoria.

CAPÍTULO II
PÉRDIDA DE LA RELACIÓN DE SERVICIO

Artículo 63. *Causas de pérdida de la condición de funcionario de carrera.* Son causas de pérdida de la condición de funcionario de carrera:

a) La renuncia a la condición de funcionario.

b) La pérdida de la nacionalidad.

c) La jubilación total del funcionario.

d) La sanción disciplinaria de separación del servicio que tuviere carácter firme.

e) La pena principal o accesoria de inhabilitación absoluta o especial para cargo público que tuviere carácter firme.

Artículo 64. Renuncia. 1. La renuncia voluntaria a la condición de funcionario habrá de ser manifestada por escrito y será aceptada expresamente por la Administración, salvo lo dispuesto en el apartado siguiente.

2. No podrá ser aceptada la renuncia cuando el funcionario esté sujeto a expediente disciplinario o haya sido dictado en su contra auto de procesamiento o de apertura de juicio oral por la comisión de algún delito.

3. La renuncia a la condición de funcionario no inhabilita para ingresar de nuevo en la Administración Pública a través del procedimiento de selección establecido.

Artículo 65. Pérdida de la nacionalidad. La pérdida de la nacionalidad española o la de cualquier otro Estado miembro de la Unión Europea o la de aquellos Estados a los que, en virtud de tratados internacionales celebrados por la Unión Europea y ratificados por España, les sea de aplicación la libre circulación de trabajadores, que haya sido tenida en cuenta para el nombramiento, determinará la pérdida de la condición de funcionario salvo que simultáneamente se adquiera la nacionalidad de alguno de dichos Estados.

Artículo 66. Pena principal o accesoria de inhabilitación absoluta o especial para cargo público. La pena principal o accesoria de inhabilitación absoluta cuando hubiere adquirido firmeza la sentencia que la imponga produce la pérdida de la condición de funcionario respecto a todos los empleos o cargos que tuviere.

La pena principal o accesoria de inhabilitación especial cuando hubiere adquirido firmeza la sentencia que la imponga produce la pérdida de la condición de funcionario respecto de aquellos empleos o cargos especificados en la sentencia.

Artículo 67. *Jubilación.* 1. La jubilación de los funcionarios podrá ser:

a) Voluntaria, a solicitud del funcionario.

b) Forzosa, al cumplir la edad legalmente establecida.

c) Por la declaración de incapacidad permanente para el ejercicio de las funciones propias de su cuerpo o escala, o por el reconocimiento de una pensión de incapacidad permanente absoluta o, incapacidad permanente total en relación con el ejercicio de las funciones de su cuerpo o escala.

2. Procederá la jubilación voluntaria, a solicitud del interesado, siempre que el funcionario reúna los requisitos y condiciones establecidos en el Régimen de Seguridad Social que le sea aplicable.

3. La jubilación forzosa se declarará de oficio al cumplir el funcionario los sesenta y cinco años de edad.

No obstante, en los términos de las leyes de Función Pública que se dicten en desarrollo de este Estatuto, se podrá solicitar la prolongación de la permanencia en el servicio activo como máximo hasta que se cumpla setenta años de edad. La Administración Pública competente deberá de resolver de forma motivada la aceptación o denegación de la prolongación.

De lo dispuesto en los dos párrafos anteriores quedarán excluidos los funcionarios que tengan normas estatales específicas de jubilación.

4. Con independencia de la edad legal de jubilación forzosa establecida en el apartado 3, la edad de la jubilación forzosa del personal funcionario incluido en el Régimen General de la Seguridad Social será,

en todo caso, la que prevean las normas reguladoras de dicho régimen para el acceso a la pensión de jubilación en su modalidad contributiva sin coeficiente reductor por razón de la edad.

Artículo 68. *Rehabilitación de la condición de funcionario.* 1. En caso de extinción de la relación de servicios como consecuencia de pérdida de la nacionalidad o jubilación por incapacidad permanente para el servicio, el interesado, una vez desaparecida la causa objetiva que la motivó, podrá solicitar la rehabilitación de su condición de funcionario, que le será concedida.

2. Los órganos de gobierno de las Administraciones Públicas podrán conceder, con carácter excepcional, la rehabilitación, a petición del interesado, de quien hubiera perdido la condición de funcionario por haber sido condenado a la pena principal o accesoria de inhabilitación, atendiendo a las circunstancias y entidad del delito cometido. Si transcurrido el plazo para dictar la resolución, no se hubiera producido de forma expresa, se entenderá desestimada la solicitud.

TÍTULO V
ORDENACIÓN DE LA ACTIVIDAD PROFESIONAL

CAPÍTULO I
PLANIFICACIÓN DE RECURSOS HUMANOS

Artículo 69. *Objetivos e instrumentos de la planificación.* 1. La planificación de los recursos humanos en las Administraciones Públicas tendrá como objetivo contribuir a la consecución de la eficacia en la prestación de los servicios y de la eficiencia en la utilización de los recursos económicos disponibles mediante la dimensión adecuada de sus efectivos, su mejor distribución, formación, promoción profesional y movilidad.

2. Las Administraciones Públicas podrán aprobar Planes para la ordenación de sus recursos humanos, que incluyan, entre otras, algunas de las siguientes medidas:

a) Análisis de las disponibilidades y necesidades de personal, tanto desde el punto de vista del número de efectivos, como del de los perfiles profesionales o niveles de cualificación de los mismos.

b) Previsiones sobre los sistemas de organización del trabajo y modificaciones de estructuras de puestos de trabajo.

c) Medidas de movilidad, entre las cuales podrá figurar la suspensión de incorporaciones de personal externo a un determinado ámbito o la convocatoria de concursos de provisión de puestos limitados a personal de ámbitos que se determinen.

d) Medidas de promoción interna y de formación del personal y de movilidad forzosa de conformidad con lo dispuesto en el capítulo III del presente título de este Estatuto.

e) La previsión de la incorporación de recursos humanos a través de la Oferta de empleo público, de acuerdo con lo establecido en el artículo siguiente.

3. Cada Administración Pública planificará sus recursos humanos de acuerdo con los sistemas que establezcan las normas que les sean de aplicación.

Artículo 70. *Oferta de empleo público.* 1. Las necesidades de recursos humanos, con asignación presupuestaria, que deban proveerse mediante la incorporación de personal de nuevo ingreso serán objeto de la Oferta de empleo público, o a través de otro instrumento similar de gestión de la provisión de las necesidades de personal, lo que comportará la obligación de convocar los correspondientes procesos selectivos para las plazas comprometidas y hasta un diez por cien adicional, fijando el plazo máximo para la convocatoria de los mismos. En todo caso, la ejecución de la oferta de empleo público o instrumento similar deberá desarrollarse dentro del plazo improrrogable de tres años.

2. La Oferta de empleo público o instrumento similar, que se aprobará anualmente por los órganos de Gobierno de las Administraciones Públicas, deberá ser publicada en el Diario oficial correspondiente.

3. La Oferta de empleo público o instrumento similar podrá contener medidas derivadas de la planificación de recursos humanos.

Artículo 71. *Registros de personal y Gestión integrada de recursos humanos.* 1. Cada Administración Pública constituirá un Registro en el que se inscribirán los datos relativos al personal contemplado en los artículos 2 y 5 del presente Estatuto y que tendrá en cuenta las peculiaridades de determinados colectivos.

2. Los Registros podrán disponer también de la información agregada sobre los restantes recursos humanos de su respectivo sector público.

3. Mediante convenio de Conferencia Sectorial se establecerán los contenidos mínimos comunes de los Registros de personal y los criterios que permitan el intercambio homogéneo de la información entre Administraciones, con respeto a lo establecido en la legislación de protección de datos de carácter personal.

4. Las Administraciones Públicas impulsarán la gestión integrada de recursos humanos.

5. Cuando las Entidades Locales no cuenten con la suficiente capacidad financiera o técnica, la Administración General del Estado y las Comunidades Autónomas cooperarán con aquéllas a los efectos contemplados en este artículo.

CAPÍTULO II
ESTRUCTURACIÓN DEL EMPLEO PÚBLICO

Artículo 72. *Estructuración de los recursos humanos.* En el marco de sus competencias de autoorganización, las Administraciones Públicas estructuran sus recursos humanos de acuerdo con las normas que regulan la selección, la promoción profesional, la movilidad y la distribución de funciones y conforme a lo previsto en este capítulo.

Artículo 73. *Desempeño y agrupación de puestos de trabajo.* 1. Los empleados públicos tienen derecho al desempeño de un puesto de trabajo de acuerdo con el sistema de estructuración del empleo público que establezcan las leyes de desarrollo del presente Estatuto.

2. Las Administraciones Públicas podrán asignar a su personal funciones, tareas o responsabilidades distintas a las correspondientes al puesto de trabajo que desempeñen siempre que resulten adecuadas a su clasificación, grado o categoría, cuando las necesidades del servicio lo justifiquen sin merma en las retribuciones.

3. Los puestos de trabajo podrán agruparse en función de sus características para ordenar la selección, la formación y la movilidad.

Artículo 74. *Ordenación de los puestos de trabajo.* Las Administraciones Públicas estructurarán su organización a través de relaciones de puestos de trabajo u otros instrumentos organizativos similares que comprenderán, al menos, la denominación de los puestos, los grupos de clasificación profesional, los cuerpos o escalas, en su caso, a que estén adscritos, los sistemas de provisión y las retribuciones complementarias. Dichos instrumentos serán públicos.

Artículo 75. *Cuerpos y escalas.* 1. Los funcionarios se agrupan en cuerpos, escalas, especialidades u otros sistemas que incorporen competencias, capacidades y conocimientos comunes acreditados a través de un proceso selectivo.

2. Los cuerpos y escalas de funcionarios se crean, modifican y suprimen por ley de las Cortes Generales o de las asambleas legislativas de las comunidades autónomas.

3. Cuando en esta ley se hace referencia a cuerpos y escalas se entenderá comprendida igualmente cualquier otra agrupación de funcionarios.

Artículo 76. *Grupos de clasificación profesional del personal funcionario de carrera.* Los cuerpos y escalas se clasifican, de acuerdo con la titulación exigida para el acceso a los mismos, en los siguientes grupos:

Grupo A: Dividido en dos Subgrupos, A1 y A2.

Para el acceso a los cuerpos o escalas de este Grupo se exigirá estar en posesión del título universitario de Grado. En aquellos supuestos en los que la ley exija otro título universitario será éste el que se tenga en cuenta.

La clasificación de los cuerpos y escalas en cada Subgrupo estará en función del nivel de responsabilidad de las funciones a desempeñar y de las características de las pruebas de acceso.

Grupo B. Para el acceso a los cuerpos o escalas del Grupo B se exigirá estar en posesión del título de Técnico Superior.

Grupo C. Dividido en dos Subgrupos, C1 y C2, según la titulación exigida para el ingreso.

C1: Título de Bachiller o Técnico.

C2: Título de Graduado en Educación Secundaria Obligatoria.

Artículo 77. *Clasificación del personal laboral.* El personal laboral se clasificará de conformidad con la legislación laboral.

CAPÍTULO III
PROVISIÓN DE PUESTOS DE TRABAJO Y MOVILIDAD

Artículo 78. *Principios y procedimientos de provisión de puestos de trabajo del personal funcionario de carrera.* 1. Las Administraciones Públicas proveerán los puestos de trabajo mediante procedimientos basados en los principios de igualdad, mérito, capacidad y publicidad.

2. La provisión de puestos de trabajo en cada Administración Pública se llevará a cabo por los procedimientos de concurso y de libre designación con convocatoria pública.

3. Las leyes de Función Pública que se dicten en desarrollo del presente Estatuto podrán establecer otros procedimientos de provisión en los supuestos de movilidad a que se refiere el artículo 81.2, permutas entre puestos de trabajo, movilidad por motivos de salud o rehabilitación del funcionario, reingreso al servicio activo, cese o remoción en los puestos de trabajo y supresión de los mismos.

Artículo 79. *Concurso de provisión de los puestos de trabajo del personal funcionario de carrera.* 1. El concurso, como procedimiento normal de provisión de puestos de trabajo, consistirá en la valoración de los méritos y capacidades y, en su caso, aptitudes de los candidatos por órganos colegiados de carácter técnico. La composición de estos órganos responderá al principio de profesionalidad y especialización de sus miembros y se adecuará al criterio de paridad entre mujer y hombre. Su funcionamiento se ajustará a las reglas de imparcialidad y objetividad.

2. Las leyes de Función Pública que se dicten en desarrollo del presente Estatuto establecerán el plazo mínimo de ocupación de los puestos obtenidos por concurso para poder participar en otros concursos de provisión de puestos de trabajo.

3. En las convocatorias de concursos podrá establecerse una puntuación que, como máximo, podrá alcanzar la que se determine en las mismas para la antigüedad, para quienes tengan la condición de víctima del terrorismo o de amenazados, en los términos fijados en el artículo 35 de la Ley 29/2011, de 22 de septiembre, de Reconocimiento y Protección Integral a las Víctimas del Terrorismo, siempre que se acre-

dite que la obtención del puesto sea preciso para la consecución de los fines de protección y asistencia social integral de estas personas.

Para la acreditación de estos extremos, reglamentariamente se determinarán los órganos competentes para la emisión de los correspondientes informes. En todo caso, cuando se trate de garantizar la protección de las víctimas será preciso el informe del Ministerio del Interior.

4. En el caso de supresión o remoción de los puestos obtenidos por concurso se deberá asignar un puesto de trabajo conforme al sistema de carrera profesional propio de cada Administración Pública y con las garantías inherentes de dicho sistema.

Artículo 80. *Libre designación con convocatoria pública del personal funcionario de carrera.* 1. La libre designación con convocatoria pública consiste en la apreciación discrecional por el órgano competente de la idoneidad de los candidatos en relación con los requisitos exigidos para el desempeño del puesto.

2. Las leyes de Función Pública que se dicten en desarrollo del presente Estatuto establecerán los criterios para determinar los puestos que por su especial responsabilidad y confianza puedan cubrirse por el procedimiento de libre designación con convocatoria pública.

3. El órgano competente para el nombramiento podrá recabar la intervención de especialistas que permitan apreciar la idoneidad de los candidatos.

4. Los titulares de los puestos de trabajo provistos por el procedimiento de libre designación con convocatoria pública podrán ser cesados discrecionalmente. En caso de cese, se les deberá asignar un puesto de trabajo conforme al sistema de carrera profesional propio de cada Administración Pública y con las garantías inherentes de dicho sistema.

Artículo 81. *Movilidad del personal funcionario de carrera.* 1. Cada Administración Pública, en el marco de la planificación general de sus recursos humanos, y sin perjuicio del derecho de los funcionarios a la movilidad podrá establecer reglas para la ordenación de la movilidad voluntaria de los funcionarios públicos cuando considere que existen sectores prioritarios de la actividad pública con necesidades específicas de efectivos.

2. Las Administraciones Públicas, de manera motivada, podrán trasladar a sus funcionarios, por necesidades de servicio o funcionales, a unidades, departamentos u organismos públicos o entidades distintos a los de su destino, respetando sus retribuciones, condiciones esenciales de trabajo, modificando, en su caso, la adscripción de los puestos de trabajo de los que sean titulares. Cuando por motivos excepcionales los planes de ordenación de recursos impliquen cambio de lugar de residencia se dará prioridad a la voluntariedad de los traslados. Los funcionarios tendrán derecho a las indemnizaciones establecidas reglamentariamente para los traslados forzosos.

3. En caso de urgente e inaplazable necesidad, los puestos de trabajo podrán proveerse con carácter provisional debiendo procederse a su convocatoria pública dentro del plazo que señalen las normas que sean de aplicación.

Artículo 82. *Movilidad por razón de violencia de género, violencia sexual y violencia terrorista.*

Rúbrica redactada por la Ley orgánica 10/2022, de 6 de septiembre, de garantía integral de la libertad sexual (BOE núm. 215, 7 de septiembre de 2022).

1. Las mujeres víctimas de violencia de género o de violencia sexual que se vean obligadas a abandonar el puesto de trabajo en la localidad donde venían prestando sus servicios, para hacer efectiva su protección o el derecho a la asistencia social integral, tendrán derecho al traslado a otro puesto de trabajo propio de su cuerpo, escala o categoría profesional, de análogas características, sin necesidad de

que sea vacante de necesaria cobertura. Aun así, en tales supuestos la Administración pública competente, estará obligada a comunicarle las vacantes ubicadas en la misma localidad o en las localidades que la interesada expresamente solicite.

Este traslado tendrá la consideración de traslado forzoso.

En las actuaciones y procedimientos relacionados con la violencia de género o con la violencia sexual se protegerá la intimidad de las víctimas, en especial, sus datos personales, los de sus descendientes y los de cualquier persona que esté bajo su guarda o custodia.

Apartado 1 redactado por la Ley orgánica 2/2024, de 1 de agosto, de representación paritaria y presencia equilibrada de mujeres y hombres (BOE núm. 186, 2 de agosto de 2024).

2. Para hacer efectivo su derecho a la protección y a la asistencia social integral, los funcionarios que hayan sufrido daños físicos o psíquicos como consecuencia de la actividad terrorista, su cónyuge o persona que haya convivido con análoga relación de afectividad, y los hijos de los heridos y fallecidos, siempre que ostenten la condición de funcionarios y de víctimas del terrorismo de acuerdo con la legislación vigente, así como los funcionarios amenazados en los términos del artículo 5 de la Ley 29/2011, de 22 de septiembre, de Reconocimiento y Protección Integral a las Víctimas del Terrorismo, previo reconocimiento del Ministerio del Interior o de sentencia judicial firme, tendrán derecho al traslado a otro puesto de trabajo propio de su cuerpo, escala o categoría profesional, de análogas características, cuando la vacante sea de necesaria cobertura o, en caso contrario, dentro de la comunidad autónoma. Aun así, en tales supuestos la Administración Pública competente estará obligada a comunicarle las vacantes ubicadas en la misma localidad o en las localidades que el interesado expresamente solicite.

Este traslado tendrá la consideración de traslado forzoso.

En todo caso este derecho podrá ser ejercitado en tanto resulte necesario para la protección y asistencia social integral de la persona a la que se concede, ya sea por razón de las secuelas provocadas por la acción terrorista, ya sea por la amenaza a la que se encuentra sometida, en los términos previstos reglamentariamente.

En las actuaciones y procedimientos relacionados con la violencia terrorista se protegerá la intimidad de las víctimas, en especial, sus datos personales, los de sus descendientes y los de cualquier persona que esté bajo su guarda o custodia.

Artículo 83. *Provisión de puestos y movilidad del personal laboral.* La provisión de puestos y movilidad del personal laboral se realizará de conformidad con lo que establezcan los convenios colectivos que sean de aplicación y, en su defecto por el sistema de provisión de puestos y movilidad del personal funcionario de carrera.

Artículo 84. *La movilidad voluntaria entre Administraciones Públicas.* 1. Con el fin de lograr un mejor aprovechamiento de los recursos humanos, que garantice la eficacia del servicio que se preste a los ciudadanos, la Administración General del Estado y las comunidades autónomas y las entidades locales establecerán medidas de movilidad interadministrativa, preferentemente mediante convenio de Conferencia Sectorial u otros instrumentos de colaboración.

2. La Conferencia Sectorial de Administración Pública podrá aprobar los criterios generales a tener en cuenta para llevar a cabo las homologaciones necesarias para hacer posible la movilidad

3. Los funcionarios de carrera que obtengan destino en otra Administración Pública a través de los procedimientos de movilidad quedarán respecto de su Administración de origen en la situación administrativa de servicio en otras Administraciones Públicas. En los supuestos de remoción o supresión del puesto de trabajo obtenido por concurso, permanecerán en la Administración de destino, que deberá asignarles un puesto de trabajo conforme a los sistemas de carrera y provisión de puestos vigentes en dicha Administración.

En el supuesto de cese del puesto obtenido por libre designación, la Administración de destino, en el plazo máximo de un mes a contar desde el día siguiente al del cese, podrá acordar la adscripción del funcionario a otro puesto de la misma o le comunicará que no va a hacer efectiva dicha adscripción. En todo caso, durante este periodo se entenderá que continúa a todos los efectos en servicio activo en dicha Administración.

Transcurrido el plazo citado sin que se hubiera acordado su adscripción a otro puesto, o recibida la comunicación de que la misma no va a hacerse efectiva, el funcionario deberá solicitar en el plazo máximo de un mes el reingreso al servicio activo en su Administración de origen, la cual deberá asignarle un puesto de trabajo conforme a los sistemas de carrera y provisión de puestos vigentes en dicha Administración, con efectos económicos y administrativos desde la fecha en que se hubiera solicitado el reingreso.

De no solicitarse el reingreso al servicio activo en el plazo indicado será declarado de oficio en situación de excedencia voluntaria por interés particular, con efectos desde el día siguiente a que hubiesen cesado en el servicio activo en la Administración de destino.

TÍTULO VI
SITUACIONES ADMINISTRATIVAS

Artículo 85. *Situaciones administrativas de los funcionarios de carrera.* 1. Los funcionarios de carrera se hallarán en alguna de las siguientes situaciones:

a) Servicio activo.

b) Servicios especiales.

c) Servicio en otras Administraciones Públicas.

d) Excedencia.

e) Suspensión de funciones.

2. Las leyes de Función Pública que se dicten en desarrollo de este Estatuto podrán regular otras situaciones administrativas de los funcionarios de carrera, en los supuestos, en las condiciones y con los efectos que en las mismas se determinen, cuando concurra, entre otras, alguna de las circunstancias siguientes:

a) Cuando por razones organizativas, de reestructuración interna o exceso de personal, resulte una imposibilidad transitoria de asignar un puesto de trabajo o la conveniencia de incentivar la cesación en el servicio activo.

b) Cuando los funcionarios accedan, bien por promoción interna o por otros sistemas de acceso, a otros cuerpos o escalas y no les corresponda quedar en alguna de las situaciones previstas en este Estatuto, y cuando pasen a prestar servicios en organismos o entidades del sector público en régimen distinto al de funcionario de carrera.

Dicha regulación, según la situación administrativa de que se trate, podrá conllevar garantías de índole retributiva o imponer derechos u obligaciones en relación con el reingreso al servicio activo.

Artículo 86. *Servicio activo.* 1. Se hallarán en situación de servicio activo quienes, conforme a la normativa de función pública dictada en desarrollo del presente Estatuto, presten servicios en su condición de funcionarios públicos cualquiera que sea la Administración u organismo público o entidad en el que se encuentren destinados y no les corresponda quedar en otra situación.

2. Los funcionarios de carrera en situación de servicio activo gozan de todos los derechos inherentes a su condición de funcionarios y quedan sujetos a los deberes y responsabilidades derivados de la misma. Se regirán por las normas de este Estatuto y por la normativa de función pública de la Administración Pública en que presten servicios.

Artículo 87. *Servicios especiales.* 1. Los funcionarios de carrera serán declarados en situación de servicios especiales:

a) Cuando sean designados miembros del Gobierno o de los órganos de gobierno de las comunidades autónomas y ciudades de Ceuta y Melilla, miembros de las Instituciones de la Unión Europea o de las organizaciones internacionales, o sean nombrados altos cargos de las citadas Administraciones Públicas o Instituciones.

b) Cuando sean autorizados para realizar una misión por periodo determinado superior a seis meses en organismos internacionales, gobiernos o entidades públicas extranjeras o en programas de cooperación internacional.

c) Cuando sean nombrados para desempeñar puestos o cargos en organismos públicos o entidades, dependientes o vinculados a las Administraciones Públicas que, de conformidad con lo que establezca la respectiva Administración Pública, estén asimilados en su rango administrativo a altos cargos.

d) Cuando sean adscritos a los servicios del Tribunal Constitucional o del Defensor del Pueblo o destinados al Tribunal de Cuentas en los términos previstos en el artículo 93.3 de la Ley 7/1988, de 5 de abril, de Funcionamiento del Tribunal de Cuentas.

e) Cuando accedan a la condición de Diputado o Senador de las Cortes Generales o miembros de las asambleas legislativas de las comunidades autónomas si perciben retribuciones periódicas por la realización de la función. Aquellos que pierdan dicha condición por disolución de las correspondientes cámaras o terminación del mandato de las mismas podrán permanecer en la situación de servicios especiales hasta su nueva constitución.

f) Cuando se desempeñen cargos electivos retribuidos y de dedicación exclusiva en las Asambleas de las ciudades de Ceuta y Melilla y en las entidades locales, cuando se desempeñen responsabilidades de órganos superiores y directivos municipales y cuando se desempeñen responsabilidades de miembros de los órganos locales para el conocimiento y la resolución de las reclamaciones económico-administrativas.

g) Cuando sean designados para formar parte del Consejo General del Poder Judicial o de los consejos de justicia de las comunidades autónomas.

h) Cuando sean elegidos o designados para formar parte de los Órganos Constitucionales o de los órganos estatutarios de las comunidades autónomas u otros cuya elección corresponda al Congreso de los Diputados, al Senado o a las asambleas legislativas de las comunidades autónomas.

i) Cuando sean designados como personal eventual por ocupar puestos de trabajo con funciones expresamente calificadas como de confianza o asesoramiento político y no opten por permanecer en la situación de servicio activo.

j) Cuando adquieran la condición de funcionarios al servicio de organizaciones internacionales.

k) Cuando sean designados asesores de los grupos parlamentarios de las Cortes Generales o de las asambleas legislativas de las comunidades autónomas.

l) Cuando sean activados como reservistas voluntarios para prestar servicios en las Fuerzas Armadas.

2. Quienes se encuentren en situación de servicios especiales percibirán las retribuciones del puesto o cargo que desempeñen y no las que les correspondan como funcionarios de carrera, sin perjuicio del derecho a percibir los trienios que tengan reconocidos en cada momento. El tiempo que permanezcan en tal situación se les computará a efectos de ascensos, reconocimiento de trienios, promoción interna y derechos en el régimen de Seguridad Social que les sea de aplicación. No será de aplicación a los funcionarios públicos que, habiendo ingresado al servicio de las instituciones comunitarias europeas, o al de entidades y organismos asimilados, ejerciten el derecho de transferencia establecido en el estatuto de los funcionarios de las Comunidades Europeas.

3. Quienes se encuentren en situación de servicios especiales tendrán derecho, al menos, a reingresar al servicio activo en la misma

localidad, en las condiciones y con las retribuciones correspondientes a la categoría, nivel o escalón de la carrera consolidados, de acuerdo con el sistema de carrera administrativa vigente en la Administración Pública a la que pertenezcan. Tendrán, asimismo, los derechos que cada Administración Pública pueda establecer en función del cargo que haya originado el pase a la mencionada situación. En este sentido, las Administraciones Públicas velarán para que no haya menoscabo en el derecho a la carrera profesional de los funcionarios públicos que hayan sido nombrados altos cargos, miembros del Poder Judicial o de otros órganos constitucionales o estatutarios o que hayan sido elegidos alcaldes, retribuidos y con dedicación exclusiva, presidentes de diputaciones o de cabildos o consejos insulares, Diputados o Senadores de las Cortes Generales y miembros de las asambleas legislativas de las comunidades autónomas. Como mínimo, estos funcionarios recibirán el mismo tratamiento en la consolidación del grado y conjunto de complementos que el que se establezca para quienes hayan sido directores generales y otros cargos superiores de la correspondiente Administración Pública.

4. La declaración de esta situación procederá en todo caso, en los supuestos que se determinen en el presente Estatuto y en las leyes de Función Pública que se dicten en desarrollo del mismo.

Artículo 88. *Servicio en otras Administraciones Públicas.* 1. Los funcionarios de carrera que, en virtud de los procesos de transferencias o por los procedimientos de provisión de puestos de trabajo, obtengan destino en una Administración Pública distinta, serán declarados en la situación de servicio en otras Administraciones Públicas. Se mantendrán en esa situación en el caso de que por disposición legal de la Administración a la que acceden se integren como personal propio de ésta.

2. Los funcionarios transferidos a las comunidades autónomas se integran plenamente en la organización de la Función Pública de las

mismas, hallándose en la situación de servicio activo en la Función Pública de la comunidad autónoma en la que se integran.

Las comunidades autónomas al proceder a esta integración de los funcionarios transferidos como funcionarios propios, respetarán el Grupo o Subgrupo del cuerpo o escala de procedencia, así como los derechos económicos inherentes a la posición en la carrera que tuviesen reconocido.

Los funcionarios transferidos mantienen todos sus derechos en la Administración Pública de origen como si se hallaran en servicio activo de acuerdo con lo establecido en los respectivos Estatutos de Autonomía.

Se reconoce la igualdad entre todos los funcionarios propios de las comunidades autónomas con independencia de su Administración de procedencia.

3. Los funcionarios de carrera en la situación de servicio en otras Administraciones Públicas que se encuentren en dicha situación por haber obtenido un puesto de trabajo mediante los sistemas de provisión previstos en este Estatuto, se rigen por la legislación de la Administración en la que estén destinados de forma efectiva y conservan su condición de funcionario de la Administración de origen y el derecho a participar en las convocatorias para la provisión de puestos de trabajo que se efectúen por esta última. El tiempo de servicio en la Administración Pública en la que estén destinados se les computará como de servicio activo en su cuerpo o escala de origen.

4. Los funcionarios que reingresen al servicio activo en la Administración de origen, procedentes de la situación de servicio en otras Administraciones Públicas, obtendrán el reconocimiento profesional de los progresos alcanzados en el sistema de carrera profesional y sus efectos sobre la posición retributiva conforme al procedimiento previsto en los convenios de Conferencia Sectorial y demás instrumentos de colaboración que establecen medidas de movilidad interadministrativa, previstos en el artículo 84 del presente Estatuto. En defecto de tales

convenios o instrumentos de colaboración, el reconocimiento se realizará por la Administración Pública en la que se produzca el reingreso.

Artículo 89. *Excedencia.* 1. La excedencia de los funcionarios de carrera podrá adoptar las siguientes modalidades:

a) Excedencia voluntaria por interés particular.

b) Excedencia voluntaria por agrupación familiar.

c) Excedencia por cuidado de familiares.

d) Excedencia por razón de violencia de género o de violencia sexual.

Letra d) redactada por la Ley orgánica 2/2024, de 1 de agosto, de representación paritaria y presencia equilibrada de mujeres y hombres (BOE núm. 186, 2 de agosto de 2024).

e) Excedencia por razón de violencia terrorista.

Apartado 1 redactado por la Ley 4/2023, de 28 de febrero, para la igualdad real y efectiva de las personas trans y para la garantía de los derechos de las personas LGTBI (BOE núm. 51, 1 de marzo de 2023).

2. Los funcionarios de carrera podrán obtener la excedencia voluntaria por interés particular cuando hayan prestado servicios efectivos en cualquiera de las Administraciones Públicas durante un periodo mínimo de cinco años inmediatamente anteriores.

No obstante, las leyes de Función Pública que se dicten en desarrollo del presente Estatuto podrán establecer una duración menor del periodo de prestación de servicios exigido para que el funcionario de carrera pueda solicitar la excedencia y se determinarán los periodos mínimos de permanencia en la misma.

La concesión de excedencia voluntaria por interés particular quedará subordinada a las necesidades del servicio debidamente motivadas. No podrá declararse cuando al funcionario público se le instruya expediente disciplinario.

Procederá declarar de oficio la excedencia voluntaria por interés particular cuando finalizada la causa que determinó el pase a una situación distinta a la de servicio activo, se incumpla la obligación de solicitar el reingreso al servicio activo en el plazo en que se determine reglamentariamente.

Quienes se encuentren en situación de excedencia por interés particular no devengarán retribuciones, ni les será computable el tiempo que permanezcan en tal situación a efectos de ascensos, trienios y derechos en el régimen de Seguridad Social que les sea de aplicación.

3. Podrá concederse la excedencia voluntaria por agrupación familiar sin el requisito de haber prestado servicios efectivos en cualquiera de las Administraciones Públicas durante el periodo establecido a los funcionarios cuyo cónyuge resida en otra localidad por haber obtenido y estar desempeñando un puesto de trabajo de carácter definitivo como funcionario de carrera o como laboral fijo en cualquiera de las Administraciones Públicas, organismos públicos y entidades de derecho público dependientes o vinculados a ellas, en los Órganos Constitucionales o del Poder Judicial y órganos similares de las comunidades autónomas, así como en la Unión Europea o en organizaciones internacionales.

Quienes se encuentren en situación de excedencia voluntaria por agrupación familiar no devengarán retribuciones, ni les será computable el tiempo que permanezcan en tal situación a efectos de ascensos, trienios y derechos en el régimen de Seguridad Social que les sea de aplicación.

4. Los funcionarios de carrera tendrán derecho a un período de excedencia de duración no superior a tres años para atender al cuidado de cada hijo, tanto cuando lo sea por naturaleza como por adopción, o de cada menor sujeto a guarda con fines de adopción o acogimiento permanente, a contar desde la fecha de nacimiento o, en su caso, de la resolución judicial o administrativa.

También tendrán derecho a un período de excedencia de duración no superior a tres años, para atender al cuidado de un familiar que se encuentre a su cargo, hasta el segundo grado inclusive de consanguinidad o afinidad que por razones de edad, accidente, enfermedad o discapacidad no pueda valerse por sí mismo y no desempeñe actividad retribuida.

El período de excedencia será único por cada sujeto causante. Cuando un nuevo sujeto causante diera origen a una nueva excedencia, el inicio del período de la misma pondrá fin al que se viniera disfrutando.

En el caso de que dos funcionarios generasen el derecho a disfrutarla por el mismo sujeto causante, la Administración podrá limitar su ejercicio simultáneo por razones justificadas relacionadas con el funcionamiento de los servicios.

El tiempo de permanencia en esta situación será computable a efectos de trienios, carrera y derechos en el régimen de Seguridad Social que sea de aplicación. El puesto de trabajo desempeñado se reservará, al menos, durante dos años. Transcurrido este periodo, dicha reserva lo será a un puesto en la misma localidad y de igual retribución.

Los funcionarios en esta situación podrán participar en los cursos de formación que convoque la Administración.

5. Las funcionarias víctimas de violencia de género o de violencia sexual, para hacer efectiva su protección o su derecho a la asistencia social integral, tendrán derecho a solicitar la situación de excedencia sin tener que haber prestado un tiempo mínimo de servicios previos y sin que sea exigible plazo de permanencia en la misma.

> Párrafo primero redactado por la Ley orgánica 2/2024, de 1 de agosto, de representación paritaria y presencia equilibrada de mujeres y hombres (BOE núm. 186, 2 de agosto de 2024).

Durante los seis primeros meses tendrán derecho a la reserva del puesto de trabajo que desempeñarán, siendo computable dicho período a efectos de antigüedad, carrera y derechos del régimen de Seguridad Social que sea de aplicación.

Cuando las actuaciones judiciales lo exigieran se podrá prorrogar este periodo por tres meses, con un máximo de dieciocho, con idénticos efectos a los señalados anteriormente, a fin de garantizar la efectividad del derecho de protección de la víctima.

Durante los dos primeros meses de esta excedencia la funcionaria tendrá derecho a percibir las retribuciones íntegras y, en su caso, las prestaciones familiares por hijo a cargo.

Apartado 5 redactado por la Ley 4/2023, de 28 de febrero, para la igualdad real y efectiva de las personas trans y para la garantía de los derechos de las personas LGTBI (BOE núm. 51, 1 de marzo de 2023).

6. Los funcionarios que hayan sufrido daños físicos o psíquicos como consecuencia de la actividad terrorista, así como los amenazados en los términos del artículo 5 de la Ley 29/2011, de 22 de septiembre, de Reconocimiento y Protección Integral a las Víctimas del Terrorismo, previo reconocimiento del Ministerio del Interior o de sentencia judicial firme, tendrán derecho a disfrutar de un periodo de excedencia en las mismas condiciones que las víctimas de violencia de género o de violencia sexual.

Párrafo primero redactado por la Ley orgánica 2/2024, de 1 de agosto, de representación paritaria y presencia equilibrada de mujeres y hombres (BOE núm. 186, 2 de agosto de 2024).

Dicha excedencia será autorizada y mantenida en el tiempo en tanto que resulte necesaria para la protección y asistencia social integral de la persona a la que se concede, ya sea por razón de las secuelas provocadas por la acción terrorista, ya sea por la amenaza a la que se encuentra sometida, en los términos previstos reglamentariamente.

Artículo 90. *Suspensión de funciones.* 1. El funcionario declarado en la situación de suspensión quedará privado durante el tiempo de permanencia en la misma del ejercicio de sus funciones y de todos los derechos inherentes a la condición. La suspensión determinará la pérdida del puesto de trabajo cuando exceda de seis meses.

2. La suspensión firme se impondrá en virtud de sentencia dictada en causa criminal o en virtud de sanción disciplinaria. La suspensión firme por sanción disciplinaria no podrá exceder de seis años.

3. El funcionario declarado en la situación de suspensión de funciones no podrá prestar servicios en ninguna Administración Pública ni en los organismos públicos, agencias, o entidades de derecho público dependientes o vinculadas a ellas durante el tiempo de cumplimiento de la pena o sanción.

4. Podrá acordarse la suspensión de funciones con carácter provisional con ocasión de la tramitación de un procedimiento judicial o expediente disciplinario, en los términos establecidos en este Estatuto.

Artículo 91. *Reingreso al servicio activo.* Reglamentariamente se regularán los plazos, procedimientos y condiciones, según las situaciones administrativas de procedencia, para solicitar el reingreso al servicio activo de los funcionarios de carrera, con respeto al derecho a la reserva del puesto de trabajo en los casos en que proceda conforme al presente Estatuto.

Artículo 92. *Situaciones del personal laboral.* El personal laboral se regirá por el Estatuto de los Trabajadores y por los Convenios Colectivos que les sean de aplicación.

Los convenios colectivos podrán determinar la aplicación de este capítulo al personal incluido en su ámbito de aplicación en lo que resulte compatible con el Estatuto de los Trabajadores.

TÍTULO VII
RÉGIMEN DISCIPLINARIO

Artículo 93. *Responsabilidad disciplinaria.* 1. Los funcionarios públicos y el personal laboral quedan sujetos al régimen disciplinario establecido en el presente título y en las normas que las leyes de Función Pública dicten en desarrollo de este Estatuto.

2. Los funcionarios públicos o el personal laboral que indujeren a otros a la realización de actos o conductas constitutivos de falta disciplinaria incurrirán en la misma responsabilidad que éstos.

3. Igualmente, incurrirán en responsabilidad los funcionarios públicos o personal laboral que encubrieren las faltas consumadas muy graves o graves, cuando de dichos actos se derive daño grave para la Administración o los ciudadanos.

4. El régimen disciplinario del personal laboral se regirá, en lo no previsto en el presente título, por la legislación laboral.

Artículo 94. *Ejercicio de la potestad disciplinaria.* 1. Las Administraciones Públicas corregirán disciplinariamente las infracciones del personal a su servicio señalado en el artículo anterior cometidas en el ejercicio de sus funciones y cargos, sin perjuicio de la responsabilidad patrimonial o penal que pudiera derivarse de tales infracciones.

2. La potestad disciplinaria se ejercerá de acuerdo con los siguientes principios:

a) Principio de legalidad y tipicidad de las faltas y sanciones, a través de la predeterminación normativa o, en el caso del personal laboral, de los convenios colectivos.

b) Principio de irretroactividad de las disposiciones sancionadoras no favorables y de retroactividad de las favorables al presunto infractor.

c) Principio de proporcionalidad, aplicable tanto a la clasificación de las infracciones y sanciones como a su aplicación.

d) Principio de culpabilidad.

e) Principio de presunción de inocencia.

3. Cuando de la instrucción de un procedimiento disciplinario resulte la existencia de indicios fundados de criminalidad, se suspenderá su tramitación poniéndolo en conocimiento del Ministerio Fiscal.

Los hechos declarados probados por resoluciones judiciales firmes vinculan a la Administración.

Artículo 95. *Faltas disciplinarias.* 1. Las faltas disciplinarias pueden ser muy graves, graves y leves.

2. Son faltas muy graves:

a) El incumplimiento del deber de respeto a la Constitución y a los respectivos Estatutos de Autonomía de las comunidades autónomas y ciudades de Ceuta y Melilla, en el ejercicio de la función pública.

b) Toda actuación que suponga discriminación por razón de origen racial o étnico, religión o convicciones, discapacidad, edad, orientación sexual, identidad sexual, características sexuales, lengua, opinión, lugar de nacimiento o vecindad, sexo o cualquier otra condición o circunstancia personal o social, así como el acoso por razón de sexo, origen racial o étnico, religión o convicciones, discapacidad, edad, orientación sexual, expresión de género, características sexuales, y el acoso moral y sexual.

Letra b) redactada por la Ley 4/2023, de 28 de febrero, para la igualdad real y efectiva de las personas trans y para la garantía de los derechos de las personas LGTBI (BOE núm. 51, 1 de marzo de 2023).

c) El abandono del servicio, así como no hacerse cargo voluntariamente de las tareas o funciones que tienen encomendadas.

d) La adopción de acuerdos manifiestamente ilegales que causen perjuicio grave a la Administración o a los ciudadanos.

e) La publicación o utilización indebida de la documentación o información a que tengan o hayan tenido acceso por razón de su cargo o función.

f) La negligencia en la custodia de secretos oficiales, declarados así por Ley o clasificados como tales, que sea causa de su publicación o que provoque su difusión o conocimiento indebido.

g) El notorio incumplimiento de las funciones esenciales inherentes al puesto de trabajo o funciones encomendadas.

h) La violación de la imparcialidad, utilizando las facultades atribuidas para influir en procesos electorales de cualquier naturaleza y ámbito.

i) La desobediencia abierta a las órdenes o instrucciones de un superior, salvo que constituyan infracción manifiesta del Ordenamiento jurídico.

j) La prevalencia de la condición de empleado público para obtener un beneficio indebido para sí o para otro.

k) La obstaculización al ejercicio de las libertades públicas y derechos sindicales.

l) La realización de actos encaminados a coartar el libre ejercicio del derecho de huelga.

m) El incumplimiento de la obligación de atender los servicios esenciales en caso de huelga.

n) El incumplimiento de las normas sobre incompatibilidades cuando ello dé lugar a una situación de incompatibilidad.

ñ) La incomparecencia injustificada en las Comisiones de Investigación de las Cortes Generales y de las asambleas legislativas de las comunidades autónomas.

o) El acoso laboral.

p) También serán faltas muy graves las que queden tipificadas como tales en ley de las Cortes Generales o de la asamblea legislativa de la correspondiente comunidad autónoma o por los convenios colectivos en el caso de personal laboral.

3. Las faltas graves serán establecidas por ley de las Cortes Generales o de la asamblea legislativa de la correspondiente comunidad autónoma o por los convenios colectivos en el caso de personal laboral, atendiendo a las siguientes circunstancias:

a) El grado en que se haya vulnerado la legalidad.

b) La gravedad de los daños causados al interés público, patrimonio o bienes de la Administración o de los ciudadanos.

c) El descrédito para la imagen pública de la Administración.

4. Las leyes de Función Pública que se dicten en desarrollo del presente Estatuto determinarán el régimen aplicable a las faltas leves, atendiendo a las anteriores circunstancias.

Artículo 96. *Sanciones.* 1. Por razón de las faltas cometidas podrán imponerse las siguientes sanciones:

a) Separación del servicio de los funcionarios, que en el caso de los funcionarios interinos comportará la revocación de su nombramiento, y que sólo podrá sancionar la comisión de faltas muy graves.

b) Despido disciplinario del personal laboral, que sólo podrá sancionar la comisión de faltas muy graves y comportará la inhabilitación para ser titular de un nuevo contrato de trabajo con funciones similares a las que desempeñaban.

c) Suspensión firme de funciones, o de empleo y sueldo en el caso del personal laboral, con una duración máxima de 6 años.

d) Traslado forzoso, con o sin cambio de localidad de residencia, por el período que en cada caso se establezca.

e) Demérito, que consistirá en la penalización a efectos de carrera, promoción o movilidad voluntaria.

f) Apercibimiento.

g) Cualquier otra que se establezca por ley.

2. Procederá la readmisión del personal laboral fijo cuando sea declarado improcedente el despido acordado como consecuencia de la incoación de un expediente disciplinario por la comisión de una falta muy grave.

3. El alcance de cada sanción se establecerá teniendo en cuenta el grado de intencionalidad, descuido o negligencia que se revele en la conducta, el daño al interés público, la reiteración o reincidencia, así como el grado de participación.

Artículo 97. *Prescripción de las faltas y sanciones.* 1. Las infracciones muy graves prescribirán a los tres años, las graves a los dos años y las leves a los seis meses; las sanciones impuestas por faltas muy graves prescribirán a los tres años, las impuestas por faltas graves a los dos años y las impuestas por faltas leves al año.

2. El plazo de prescripción de las faltas comenzará a contarse desde que se hubieran cometido, y desde el cese de su comisión cuando se trate de faltas continuadas.

El de las sanciones, desde la firmeza de la resolución sancionadora.

Artículo 98. *Procedimiento disciplinario y medidas provisionales.* 1. No podrá imponerse sanción por la comisión de faltas muy graves o graves sino mediante el procedimiento previamente establecido.

La imposición de sanciones por faltas leves se llevará a cabo por procedimiento sumario con audiencia al interesado.

2. El procedimiento disciplinario que se establezca en el desarrollo de este Estatuto se estructurará atendiendo a los principios de eficacia, celeridad y economía procesal, con pleno respeto a los derechos y garantías de defensa del presunto responsable.

En el procedimiento quedará establecida la debida separación entre la fase instructora y la sancionadora, encomendándose a órganos distintos.

3. Cuando así esté previsto en las normas que regulen los procedimientos sancionadores, se podrá adoptar mediante resolución motivada medidas de carácter provisional que aseguren la eficacia de la resolución final que pudiera recaer.

La suspensión provisional como medida cautelar en la tramitación de un expediente disciplinario no podrá exceder de 6 meses, salvo en caso de paralización del procedimiento imputable al interesado. La suspensión provisional podrá acordarse también durante la tramitación de un procedimiento judicial, y se mantendrá por el tiempo a que se extienda la prisión provisional u otras medidas decretadas por el juez que determinen la imposibilidad de desempeñar el puesto de trabajo. En este caso, si la suspensión provisional excediera de seis meses no supondrá pérdida del puesto de trabajo.

El funcionario suspenso provisional tendrá derecho a percibir durante la suspensión las retribuciones básicas y, en su caso, las prestaciones familiares por hijo a cargo.

4. Cuando la suspensión provisional se eleve a definitiva, el funcionario deberá devolver lo percibido durante el tiempo de duración de aquélla. Si la suspensión provisional no llegara a convertirse en sanción definitiva, la Administración deberá restituir al funcionario la diferencia entre los haberes realmente percibidos y los que hubiera debido percibir si se hubiera encontrado con plenitud de derechos.

El tiempo de permanencia en suspensión provisional será de abono para el cumplimiento de la suspensión firme.

Cuando la suspensión no sea declarada firme, el tiempo de duración de la misma se computará como de servicio activo, debiendo acordarse la inmediata reincorporación del funcionario a su puesto de trabajo, con reconocimiento de todos los derechos económicos y demás que procedan desde la fecha de suspensión.

TÍTULO VIII
COOPERACIÓN ENTRE LAS ADMINISTRACIONES PÚBLICAS

Artículo 99. *Relaciones de cooperación entre las Administraciones Públicas.* Las Administraciones Públicas actuarán y se relacionarán entre sí en las materias objeto de este Estatuto de acuerdo con los principios de cooperación y colaboración, respetando, en todo caso, el ejercicio legítimo por las otras Administraciones de sus competencias.

Artículo 100. *Órganos de cooperación.* 1. La Conferencia Sectorial de Administración Pública, como órgano de cooperación en materia de administración pública de la Administración General del Estado, de las Administraciones de las comunidades autónomas, de las ciudades de Ceuta y Melilla, y de la Administración Local, cuyos representantes serán designados por la Federación Española de Municipios y Provincias, como asociación de entidades locales de ámbito estatal con mayor implantación, sin perjuicio de la competencia de otras Conferencias Sectoriales u órganos equivalentes, atenderá en su funcionamiento y organización a lo establecido en la vigente legislación sobre régimen jurídico de las Administraciones Públicas.

2. Se crea la Comisión de Coordinación del Empleo Público como órgano técnico y de trabajo dependiente de la Conferencia Sectorial de Administración Pública. En esta Comisión se hará efectiva la coordinación de la política de personal entre la Administración General del Estado, las Administraciones de las comunidades autónomas y de las ciudades de Ceuta y Melilla, y las entidades locales y en concreto le corresponde:

a) Impulsar las actuaciones necesarias para garantizar la efectividad de los principios constitucionales en el acceso al empleo público.

b) Estudiar y analizar los proyectos de legislación básica en materia de empleo público, así como emitir informe sobre cualquier otro proyecto normativo que las Administraciones Públicas le presenten.

c) Elaborar estudios e informes sobre el empleo público. Dichos estudios e informes se remitirán a las organizaciones sindicales presentes en la Mesa General de Negociación de las Administraciones Públicas.

3. Componen la Comisión de Coordinación del Empleo Público los titulares de aquellos órganos directivos de la política de recursos humanos de la Administración General del Estado, de las Administraciones de las comunidades autónomas y de las ciudades de Ceuta y Melilla, y los representantes de la Administración Local designados por la Federación Española de Municipios y Provincias, como asociación de entidades locales de ámbito estatal con mayor implantación, en los términos que se determinen reglamentariamente, previa consulta con las comunidades autónomas.

4. La Comisión de Coordinación del Empleo Público elaborará sus propias normas de organización y funcionamiento.

Disposición adicional primera. *Ámbito específico de aplicación.* Los principios contenidos en los artículos 52, 53, 54, 55 y 59 serán de aplicación en las entidades del sector público estatal, autonómico y local, que no estén incluidas en el artículo 2 del presente Estatuto y que estén definidas así en su normativa específica.

Disposición adicional segunda. *Aplicación de las disposiciones de este Estatuto a las Instituciones Forales.* 1. El presente Estatuto se aplicará a la Comunidad Foral de Navarra en los términos establecidos en el artículo 149.1.18.ª y disposición adicional primera de la Constitución, y en la Ley Orgánica 13/1982, de 10 de agosto, de Reintegración y Amejoramiento del Régimen Foral de Navarra.

2. En el ámbito de la Comunidad Autónoma del País Vasco el presente Estatuto se aplicará de conformidad con la disposición adicional primera de la Constitución, con el artículo 149.1.18.ª de la Constitución y con la Ley Orgánica 3/1979, de 18 de diciembre, por la que se aprueba el Estatuto de Autonomía para el País Vasco. Las facultades previstas en el artículo 92 bis de la Ley 7/1985, de 7 de abril, respecto a los funcionarios con habilitación de carácter estatal serán ostentadas por las Instituciones Forales de sus territorios históricos o por las Instituciones Comunes de la Comunidad Autónoma, en los términos que establezca la normativa autonómica.

Disposición adicional tercera. *Funcionarios públicos propios de las ciudades de Ceuta y Melilla.* 1. Los funcionarios públicos propios de las administraciones de las ciudades de Ceuta y Melilla se rigen por lo dispuesto en este Estatuto, por las normas de carácter reglamentario que en su desarrollo puedan aprobar sus Asambleas en el marco de sus estatutos respectivos, por las normas que en su desarrollo pueda dictar el Estado y por la Ley de Función Pública de la Administración General del Estado.

2. En el marco de lo previsto en el número anterior, las Asambleas de Ceuta y Melilla tendrán, además, las siguientes funciones:

a) El establecimiento, modificación y supresión de Escalas, Subescalas y clases de funcionarios, y la clasificación de los mismos.

b) La aprobación de las plantillas y relaciones de puestos de trabajo.

c) La regulación del procedimiento de provisión de puestos directivos así como su régimen de permanencia y cese.

d) La determinación de las faltas y sanciones disciplinarias leves.

3. Los funcionarios transferidos se regirán por la Ley de Función Pública de la Administración General del Estado y sus normas de desarrollo. No obstante, podrán integrarse como funcionarios propios de la ciudad a la que hayan sido transferidos quedando en la situación administrativa de servicio en otras administraciones públicas.

Disposición adicional cuarta. *Aplicación de este Estatuto a las autoridades administrativas independientes de ámbito estatal.* Lo establecido en el presente Estatuto se aplicará a las autoridades administrativas independientes del ámbito estatal, Entidades de Derecho Público reguladas en los artículos 109 y 110 de la Ley 40/2015, de 1 de octubre, de Régimen Jurídico del Sector Público, en la forma prevista en sus leyes de creación.

Disposición adicional quinta. *Jubilación de los funcionarios.* El Gobierno presentará en el Congreso de los Diputados un estudio sobre los distintos regímenes de acceso a la jubilación de los funcionarios que contenga, entre otros aspectos, recomendaciones para asegurar la no discriminación entre colectivos con características similares y la conveniencia de ampliar la posibilidad de acceder a la jubilación anticipada de determinados colectivos.

Disposición adicional sexta. *Otras agrupaciones profesionales sin requisito de titulación.* 1. Además de los Grupos clasificatorios establecidos en el artículo 76 del presente Estatuto, las Administraciones Públicas podrán establecer otras agrupaciones diferentes de las enunciadas anteriormente, para cuyo acceso no se exija estar en posesión de ninguna de las titulaciones previstas en el sistema educativo.

2. Los funcionarios que pertenezcan a estas agrupaciones cuando reúnan la titulación exigida podrán promocionar de acuerdo con lo establecido en el artículo 18 de este Estatuto.

Disposición adicional séptima. *Planes de igualdad.* 1. Las Administraciones Públicas están obligadas a respetar la igualdad de trato y de oportunidades en el ámbito laboral y, con esta finalidad, deberán adoptar medidas dirigidas a evitar cualquier tipo de discriminación laboral entre mujeres y hombres.

2. Sin perjuicio de lo dispuesto en el apartado anterior, las Administraciones Públicas aprobarán, al inicio de cada legislatura, un Plan para la Igualdad entre mujeres y hombres para sus respectivos ámbitos, a desarrollar en el convenio colectivo o acuerdo de condiciones de trabajo del personal funcionario que sea aplicable, en los términos previstos en el mismo.

El Plan establecerá los objetivos a alcanzar en materia de promoción de la igualdad de trato y oportunidades en el empleo público, así como las estrategias o medidas a adoptar para su consecución. El Plan será objeto de negociación, y en su caso acuerdo, con la representación legal de los empleados públicos en la forma que se determine en la legislación sobre negociación colectiva en la Administración Pública y su cumplimiento será evaluado con carácter anual.

3. En el plazo de 3 meses se creará un Registro de Planes de Igualdad, adscrito al departamento con competencias en materia de función pública, al que deberán remitir las distintas Administraciones públicas sus planes de igualdad, así como sus protocolos que permitan proteger

a las víctimas de acoso sexual y por razón de sexo, para un mejor conocimiento, seguimiento y trasparencia de las medidas a adoptar por todas las Administraciones Públicas en esta materia.

Disposición adicional séptima redactada por la Ley 31/2022, de 23 de diciembre, de Presupuestos Generales del Estado para el año 2023 (BOE núm. 308, 24 de diciembre de 2022).

Disposición adicional octava. Los funcionarios de carrera tendrán garantizados los derechos económicos alcanzados o reconocidos en el marco de los sistemas de carrera profesional establecidos por las leyes de cada Administración Pública.

Disposición adicional novena. La carrera profesional de los funcionarios de carrera se iniciará en el grado, nivel, categoría, escalón y otros conceptos análogos correspondientes a la plaza inicialmente asignada al funcionario tras la superación del correspondiente proceso selectivo, que tendrán la consideración de mínimos. A partir de aquellos, se producirán los ascensos que procedan según la modalidad de carrera aplicable en cada ámbito.

Disposición adicional décima. *Ámbito de aplicación del artículo 87.3.* Al personal contemplado en el artículo 4 de este Estatuto que sea declarado en servicios especiales o en situación administrativa análoga, se le aplicarán los derechos establecidos en el artículo 87.3 del presente Estatuto en la medida en que dicha aplicación resulte compatible con lo establecido en su legislación específica.

Disposición adicional undécima. *Personal militar que preste servicios en la Administración civil.* 1. El personal militar de carrera podrá prestar servicios en la Administración civil en los términos que establezca cada Administración Pública en aquellos puestos de trabajo en los que se especifique esta posibilidad, y de los que resulten adjudicatarios, de acuerdo con los principios de mérito y capacidad, previa participación en la correspondiente convocatoria pública para la provisión de dichos puestos, y previo cumplimiento de los requisitos que, en su caso, se puedan establecer para este fin por el Ministerio de Defensa.

2. Al personal militar que preste servicios en la Administración civil le será de aplicación la normativa propia de la misma en materia de jornada y horario de trabajo; vacaciones, permisos y licencias; y régimen disciplinario, si bien la sanción de separación del servicio sólo podrá imponerse por el Ministro de Defensa.

No les será de aplicación lo previsto para promoción interna, carrera administrativa, situaciones administrativas y movilidad, sin perjuicio de que puedan participar en los procedimientos de provisión de otros puestos abiertos a este personal en la Administración civil.

Las retribuciones a percibir serán las retribuciones básicas que les correspondan en su condición de militares de carrera, y las complementarias correspondientes al puesto de trabajo desempeñado. Los posibles ascensos que puedan producirse en su carrera militar no conllevarán variación alguna en las condiciones retributivas del puesto desempeñado.

Su régimen de Seguridad Social será el que les corresponda como militares de carrera.

Cuando se produzca el cese, remoción o supresión del puesto de trabajo de la Administración civil que vinieran desempeñando, deberán reincorporarse a la Administración militar en la situación que les corresponda, sin que les sean de aplicación los criterios existentes en estos supuestos para el personal funcionario civil.

Disposición adicional duodécima. *Mesas de negociación en ámbitos específicos.* 1. Para la negociación de las condiciones de trabajo del personal funcionario o estatutario de sus respectivos ámbitos, se constituirán las siguientes Mesas de Negociación:

a) Del personal docente no universitario, para las cuestiones que deban ser objeto de negociación comprendidas en el ámbito competencial del Ministerio de Educación, Cultura y Deporte.

b) Del personal de la Administración de Justicia, para las cuestiones que deban ser objeto de negociación comprendidas en el ámbito competencial del Ministerio de Justicia.

c) Del personal estatutario de los servicios de Salud, para las cuestiones que deban ser objeto de negociación comprendidas en el ámbito competencial del Ministerio de Sanidad, Servicios Sociales e Igualdad y que asumirá las competencias y funciones previstas en el artículo 11.4 del Estatuto Marco del personal estatutario de los servicios de salud. Mesa que se denominará «Ámbito de Negociación».

2. Además de la representación de la Administración General del Estado, constituirán estas Mesas de Negociación, las organizaciones sindicales a las que se refiere el párrafo segundo del artículo 33.1 de este Estatuto, cuya representación se distribuirá en función de los resultados obtenidos en las elecciones a los órganos de representación propios del personal en el ámbito específico de la negociación que en cada caso corresponda, considerados a nivel estatal.

Disposición adicional decimotercera. *Permiso por asuntos particulares por antigüedad.* Las Administraciones Públicas podrán establecer hasta dos días adicionales de permiso por asuntos particulares al cumplir el sexto trienio, incrementándose, como máximo, en un día adicional por cada trienio cumplido a partir del octavo.

Disposición adicional decimocuarta. *Días adicionales de vacaciones por antigüedad.* Cada Administración Pública podrá establecer hasta un máximo de cuatro días adicionales de vacaciones en función del tiempo de servicios prestados por los funcionarios públicos.

Disposición adicional decimoquinta. *Registro de Órganos de Representación del Personal.* Las Administraciones Públicas dispondrán de un Registro de Órganos de Representación del Personal al servicio de las mismas y de sus organismos, agencias, universidades y entidades dependientes en el que serán objeto de inscripción o anotación, al menos, los actos adoptados en su ámbito que afecten a la creación, modificación o supresión de órganos de representación del personal funcionario, estatutario o laboral, la creación modificación o supresión de secciones sindicales, los miembros de dichos órganos y delegados sindicales. Así mismo, serán objeto de anotación los créditos horarios, sus cesiones y liberaciones sindicales que deriven de la aplicación de normas o pactos que afecten a la obligación o al régimen de asistencia al trabajo. La creación de dichos registros se ajustará la normativa vigente en materia de protección de datos de carácter personal.

Disposición adicional decimosexta. *Permiso retribuido para las funcionarias en estado de gestación.* Cada Administración Pública, en su ámbito, podrá establecer a las funcionarias en estado de gestación, un permiso retribuido, a partir del día primero de la semana 37 de embarazo, hasta la fecha del parto.

En el supuesto de gestación múltiple, este permiso podrá iniciarse el primer día de la semana 35 de embarazo, hasta la fecha de parto.

Disposición adicional decimoséptima. *Medidas dirigidas al control de la temporalidad en el empleo público.* 1. Las Administraciones Públicas serán responsables del cumplimiento de las previsiones contenidas en la presente norma y, en especial, velarán por evitar cualquier tipo de irregularidad en la contratación laboral temporal y los nombramientos de personal funcionario interino.

Asimismo, las Administraciones Públicas promoverán, en sus ámbitos respectivos, el desarrollo de criterios de actuación que permitan asegurar el cumplimiento de esta disposición, así como una actuación coordinada de los distintos órganos con competencia en materia de personal.

2. Las actuaciones irregulares en la presente materia darán lugar a la exigencia de las responsabilidades que procedan de conformidad con la normativa vigente en cada una de las Administraciones Públicas.

3. Todo acto, pacto, acuerdo o disposición reglamentaria, así como las medidas que se adopten en su cumplimiento o desarrollo, cuyo contenido directa o indirectamente suponga el incumplimiento por parte de la Administración de los plazos máximos de permanencia como personal temporal será nulo de pleno derecho.

4. El incumplimiento del plazo máximo de permanencia dará lugar a una compensación económica para el personal funcionario interino afectado, que será equivalente a veinte días de sus retribuciones fijas por año de servicio, prorrateándose por meses los períodos de tiempo inferiores a un año, hasta un máximo de doce mensualidades. El derecho a esta compensación nacerá a partir de la fecha del cese efectivo y la cuantía estará referida exclusivamente al nombramiento del que traiga causa el incumplimiento. No habrá derecho a compensación en caso de que la finalización de la relación de servicio sea por causas disciplinarias ni por renuncia voluntaria.

5. En el caso del personal laboral temporal, el incumplimiento de los plazos máximos de permanencia dará derecho a percibir la compensación económica prevista en este apartado, sin perjuicio de la indemnización que pudiera corresponder por vulneración de la normativa laboral específica.

Dicha compensación consistirá, en su caso, en la diferencia entre el máximo de veinte días de su salario fijo por año de servicio, con un máximo de doce mensualidades, y la indemnización que le correspondiera percibir por la extinción de su contrato, prorrateándose por meses los períodos de tiempo inferiores a un año. El derecho a esta compensación nacerá a partir de la fecha del cese efectivo, y la cuantía estará referida exclusivamente al contrato del que traiga causa el incumplimiento. En caso de que la citada indemnización fuere reconocida en vía judicial, se procederá a la compensación de cantidades.

No habrá derecho a la compensación descrita en caso de que la finalización de la relación de servicio sea por despido disciplinario declarado procedente o por renuncia voluntaria.

Disposición adicional decimoséptima añadida por la Ley 20/2021, de 28 de diciembre, de medidas urgentes para la reducción de la temporalidad en el empleo público (BOE núm. 312, 29 de diciembre de 2021).

Disposición transitoria primera. *Garantía de derechos retributivos.* 1. El desarrollo del presente Estatuto no podrá comportar para el personal incluido en su ámbito de aplicación, la disminución de la cuantía de los derechos económicos y otros complementos retributivos inherentes al sistema de carrera vigente para los mismos en el momento de su entrada en vigor, cualquiera que sea la situación administrativa en que se encuentren.

2. Si el personal incluido en el ámbito de aplicación del presente Estatuto no se encontrase en la situación de servicio activo, se le reconocerán los derechos económicos y complementos retributivos a los que se refiere el apartado anterior a partir del momento en el que se produzca su reingreso al servicio activo.

Disposición transitoria segunda. *Personal laboral fijo que desempeña funciones o puestos clasificados como propios de personal funcionario.* El personal laboral fijo que a la entrada en vigor de la Ley 7/2007, de 12 de abril, estuviere desempeñando funciones de personal funcionario, o pasare a desempeñarlos en virtud de pruebas de selección o promoción convocadas antes de dicha fecha, podrá seguir desempeñándolos.

Asimismo, podrá participar en los procesos selectivos de promoción interna convocados por el sistema de concurso-oposición, de forma independiente o conjunta con los procesos selectivos de libre concurrencia, en aquellos Cuerpos y Escalas a los que figuren adscritos las funciones o los puestos que desempeñe, siempre que posea la titulación necesaria y reúna los restantes requisitos exigidos, valorándose a estos efectos como mérito los servicios efectivos prestados como personal laboral fijo y las pruebas selectivas superadas para acceder a esta condición.

Disposición transitoria tercera. *Entrada en vigor de la nueva clasificación profesional.* 1. Hasta tanto no se generalice la implantación de los nuevos títulos universitarios a que se refiere el artículo 76, para el acceso a la función pública seguirán siendo válidos los títulos universitarios oficiales vigentes a la entrada en vigor de este Estatuto.

2. Transitoriamente, los Grupos de clasificación existentes a la entrada en vigor de la Ley 7/2007, de 12 de abril, se integrarán en los Grupos de clasificación profesional de funcionarios previstos en el artículo 76, de acuerdo con las siguientes equivalencias:

Grupo A: Subgrupo A1.

Grupo B: Subgrupo A2.

Grupo C: Subgrupo C1.

Grupo D: Subgrupo C2.

Grupo E: Agrupaciones Profesionales a que hace referencia la disposición adicional sexta.

3. Los funcionarios del Subgrupo C1 que reúnan la titulación exigida podrán promocionar al Grupo A sin necesidad de pasar por el nuevo Grupo B, de acuerdo con lo establecido en el artículo 18 de este Estatuto.

Disposición transitoria cuarta. *Consolidación de empleo temporal.* 1. Las Administraciones Públicas podrán efectuar convocatorias de consolidación de empleo a puestos o plazas de carácter estructural correspondientes a sus distintos cuerpos, escalas o categorías, que estén dotados presupuestariamente y se encuentren desempeñados interina o temporalmente con anterioridad a 1 de enero de 2005.

2. Los procesos selectivos garantizarán el cumplimiento de los principios de igualdad, mérito, capacidad y publicidad.

3. El contenido de las pruebas guardará relación con los procedimientos, tareas y funciones habituales de los puestos objeto de cada convocatoria. En la fase de concurso podrá valorarse, entre otros méritos, el tiempo de servicios prestados en las Administraciones Públicas y la experiencia en los puestos de trabajo objeto de la convocatoria.

Los procesos selectivos se desarrollarán conforme a lo dispuesto en los apartados 1 y 3 del artículo 61 del presente Estatuto.

Disposición transitoria quinta. *Procedimiento Electoral General.* En tanto se determine el procedimiento electoral general previsto en el artículo 39 del presente Estatuto, se mantendrán con carácter de normativa básica los siguientes artículos de la Ley 9/1987, de 12 de junio, de órganos de representación, determinación de las condiciones de trabajo y participación del personal al servicio de las Administraciones Públicas: 13.2, 13.3, 13.4, 13.5, 13.6, 15, 16, 17, 18, 19, 20, 21, 25, 26, 27, 28 y 29.

Disposición transitoria sexta *Duración del permiso de paternidad por el nacimiento, acogimiento o adopción de un hijo para el personal funcionario hasta la entrada en vigor de la Ley 9/2009, de 6 de octubre.* Sin perjuicio de lo indicado en el artículo 49, letra c), la duración del permiso de paternidad para el personal funcionario seguirá siendo de quince días hasta que no se produzca la entrada en vigor del artículo 2 de la Ley 9/2009, de 6 de octubre.

Disposición transitoria séptima. *Referencia a los Organismos Reguladores.* Hasta que se produzca la entrada en vigor de la Ley 40/2015, de 1 de octubre, de Régimen Jurídico del Sector Público, las previsiones contenidas en la disposición adicional cuarta de esta ley se entenderán referidas a los organismos reguladores de la disposición adicional décima, 1 de la Ley 6/1997, de 14 de abril, de Organización y Funcionamiento de la Administración General del Estado.

Disposición transitoria octava. *Aplicación del artículo 84.3.* De acuerdo con lo previsto en la disposición final cuarta, las previsiones contenidas en el artículo 84.3 en relación con la forma de proceder en los supuestos de cese en puesto de libre designación, resultarán de aplicación en las Administraciones Públicas en las que se hayan aprobado la correspondiente ley de desarrollo.

Disposición transitoria novena. *Aplicación progresiva del permiso del progenitor diferente de la madre biológica para empleados públicos según lo previsto en el Real Decreto-ley 6/2019, de 1 de marzo, de medidas urgentes para garantía de la igualdad de trato y de oportunidades entre mujeres y hombres en el empleo y la ocupación.* La duración del permiso del progenitor diferente de la madre biológica por nacimiento, guarda con fines de adopción, acogimiento, o adopción al que se refiere el apartado c) del artículo 49 de la presente norma, en la redacción dada por el Real Decreto-ley 6/2019, de 1 de marzo, de medidas urgentes para garantía de la igualdad de trato y de oportunidades entre mujeres y hombres en el empleo y la ocupación, se incrementará de forma progresiva, de tal forma que:

a) En 2019, la duración del permiso será de ocho semanas; las dos primeras semanas serán ininterrumpidas e inmediatamente posteriores a la fecha del nacimiento, de la decisión judicial de guarda con fines de adopción o acogimiento o decisión judicial por la que se constituya la adopción. Las seis semanas restantes podrán ser de disfrute interrumpido; ya sea con posterioridad a las seis semanas inmediatas posteriores al periodo de descanso obligatorio para la madre, o bien con posterioridad a la finalización de los permisos contenidos en los apartados a) y b) del artículo 49 o de la suspensión del contrato por nacimiento, adopción, guarda con fines de adopción o acogimiento.

REAL DECRETO LEGISLATIVO 5/2015

b) En 2020, la duración del permiso será de doce semanas; las cuatro primeras semanas serán ininterrumpidas e inmediatamente posteriores a la fecha del nacimiento, de la decisión judicial de guarda con fines de adopción o acogimiento o decisión judicial por la que se constituya la adopción. Las ocho semanas restantes podrán ser de disfrute interrumpido; ya sea con posterioridad a las seis semanas inmediatas posteriores al periodo de descanso obligatorio para la madre, o bien con posterioridad a la finalización de los permisos contenidos en los apartados a) y b) del artículo 49 o de la suspensión del contrato por nacimiento, adopción, guarda con fines de adopción o acogimiento.

c) Finalmente en 2021, la duración del permiso será de dieciséis semanas; las seis primeras semanas serán ininterrumpidas e inmediatamente posteriores a la fecha del nacimiento, de la decisión judicial de guarda con fines de adopción o acogimiento o decisión judicial por la que se constituya la adopción. Las diez semanas restantes podrán ser de disfrute interrumpido; ya sea con posterioridad a las seis semanas inmediatas posteriores al periodo de descanso obligatorio para la madre, o bien con posterioridad a la finalización de los permisos contenidos en los apartados a) y b) del artículo 49 o de la suspensión del contrato por nacimiento, adopción, guarda con fines de adopción o acogimiento.

Disposición transitoria novena añadida por el Real Decreto-Ley 6/2019, de 1 de marzo, de medidas urgentes para garantía de la igualdad de trato y de oportunidades entre mujeres y hombres en el empleo y la ocupación (BOE núm. 57, 7 de marzo).

Disposición derogatoria única. Quedan derogadas con el alcance establecido en el apartado 2 de la disposición final cuarta, las siguientes disposiciones:

a) De la Ley de Funcionarios Civiles del Estado aprobada por Decreto 315/1964, de 7 de febrero, los artículos 1, 2, 3, 4, 5.2, 7, 29, 30, 36, 37, 38, 39.2, 40, 41, 42, 44, 47, 48, 49, 50, 59, 60, 61, 63, 64, 65, 68, 71, 76, 77, 78, 79, 80, 87, 89, 90, 91, 92, 93, 102, 104 y 105.

b) De la Ley 30/1984, de 2 de agosto, de Medidas para la Reforma de la Función Pública, los artículos 3.2.e) y f); 6; 7; 8; 11; 12; 13.2, 3 y 4; 14.4 y 5; 16; 17; 18.1 a 5; 19.1 y 3; 20.1.a), b) párrafo primero, c), e) y g) en sus párrafos primero a cuarto, e i), 2 y 3; 21; 22.1 a excepción de los dos últimos párrafos; 23; 24; 25; 26; 29, a excepción del último párrafo de sus apartados 5, 6 y 7; 30.3 y 5; 31; 32; 33; disposiciones adicionales tercera.2 y 3, cuarta, duodécima y decimoquinta, disposiciones transitorias segunda, octava y novena.

c) La Ley 9/1987, de 12 de junio, de órganos de representación, determinación de las condiciones de trabajo y participación del personal al servicio de las Administraciones Públicas, excepto su artículo 7 y con la excepción contemplada en la disposición transitoria quinta de este Estatuto.

d) De la Ley 7/1985, de 2 de abril, reguladora de las bases del Régimen Local, el capítulo III del título VII.

e) Del Real Decreto Legislativo 781/1986, de 18 de abril, texto refundido de las disposiciones legales vigentes en materia de Régimen Local, el capítulo III del título VII.

f) Todas las normas de igual o inferior rango que contradigan o se opongan a lo dispuesto en este Estatuto.

Disposición final primera. *Habilitación competencial.* Las disposiciones de este Estatuto se dictan al amparo del artículo 149.1.18.ª de la Constitución, constituyendo aquellas bases del régimen estatutario de los funcionarios; al amparo del artículo 149.1.7.ª de la Constitución, por lo que se refiere a la legislación laboral, y al amparo del artículo 149.1.13.ª de la Constitución, bases y coordinación de la planificación general de la actividad económica.

Disposición final segunda. Las previsiones de esta ley son de aplicación a todas las comunidades autónomas respetando en todo caso las posiciones singulares en materia de sistema institucional y las competencias exclusivas y compartidas en materia de función pública y de autoorganización que les atribuyen los respectivos Estatutos de Autonomía, en el marco de la Constitución.

Disposición final tercera. *Modificación de la Ley 53/1984, de 26 de diciembre, de incompatibilidades del personal al servicio de las Administraciones Públicas.* Se modifica el apartado 1 del artículo 16, que queda redactado de la siguiente forma:

«No podrá autorizarse o reconocerse compatibilidad al personal funcionario, al personal eventual y al personal laboral cuando las retribuciones complementarias que tengan derecho a percibir del apartado b) del artículo 24 del presente Estatuto incluyan el factor de incompatibilidad al retribuido por arancel y al personal directivo, incluido el sujeto a la relación laboral de carácter especial de alta dirección.»

Disposición final cuarta. *Entrada en vigor.* 1. Lo establecido en los capítulos II y III del título III, excepto el artículo 25.2, y en el capítulo III del título V producirá efectos a partir de la entrada en vigor de las leyes de Función Pública que se dicten en desarrollo de este Estatuto.

La disposición final tercera del presente Estatuto producirá efectos en cada Administración Pública a partir de la entrada en vigor del capítulo III del título III con la aprobación de las leyes de Función Pública de las Administraciones Públicas que se dicten en desarrollo de este Estatuto. Hasta que se hagan efectivos esos supuestos la autorización o denegación de compatibilidades continuará rigiéndose por la actual normativa.

2. Hasta que se dicten las leyes de Función Pública y las normas reglamentarias de desarrollo se mantendrán en vigor en cada Administración Pública las normas vigentes sobre ordenación, planificación y gestión de recursos humanos en tanto no se opongan a lo establecido en este Estatuto.

2. RESOLUCIÓN DE 16 DE NOVIEMBRE DE 2018, DE LA SECRETARÍA DE ESTADO DE FUNCIÓN PÚBLICA, POR LA QUE SE PUBLICA EL I ACUERDO DE MOVILIDAD DEL PERSONAL FUNCIONARIO AL SERVICIO DE LA ADMINISTRACIÓN DEL ESTADO

(BOE núm. 280, 20 de noviembre de 2018)

La provisión de puestos de trabajo del personal funcionario al servicio de la Administración General del Estado tiene especial trascendencia, dada la necesidad de garantizar en todo momento la prestación eficaz de los servicios, promoviendo al mismo tiempo la movilidad de los funcionarios y las funcionarias y su promoción profesional.

Por ello es preciso contar con unos criterios comunes de provisión en los distintos Ministerios y Organismos, acordados con las organizaciones sindicales más representativas en este ámbito, dirigidos a regular uniformemente esta materia mediante la implantación de procedimientos que permitan una mayor agilidad en la cobertura de puestos de acuerdo con los principios de igualdad, mérito, capacidad, competencia y publicidad.

A fin de asegurar este conjunto de objetivos y principios, se ha negociado este Acuerdo en el ámbito de la Mesa General de Negociación de la Administración General del Estado, de materias específicas para personal funcionario del artículo 34.1 del Real Decreto Legislativo 5/2015, de 30 de octubre, por el que se aprueba el texto refundido de la Ley del Estatuto Básico del Empleado Público.

En este contexto, de acuerdo con las facultades que corresponden a la Secretaría de Estado de Función Pública atribuidas en el artículo 6 del Real Decreto 863/2018, de 13 de julio, por el que se desarrolla la estructura orgánica básica del Ministerio de Política Territorial y Función Pública, previo acuerdo en el ámbito de la Mesa General de

Negociación de la Administración General del Estado, de materias específicas para personal funcionario del artículo 34.1 del Real Decreto Legislativo 5/2015, de 30 de octubre, por el que se aprueba el texto refundido de la Ley del Estatuto Básico del Empleado Público, resuelvo:

Primero. Aprobar y publicar el I Acuerdo de movilidad del personal funcionario al servicio de la Administración General del Estado, cuyo contenido aparece desarrollado en el anexo de esta Resolución.

Segundo. Por la Dirección General de la Función Pública se adoptarán las medidas necesarias para proceder, en su caso, a la revisión, mejora y actualización del citado documento.

ANEXO
I ACUERDO DE MOVILIDAD DEL PERSONAL FUNCIONARIO AL SERVICIO DE LA ADMINISTRACIÓN GENERAL DEL ESTADO

En Madrid, a 15 de octubre de 2018.

La provisión de puestos de trabajo del personal funcionario al servicio de la Administración General del Estado tiene especial trascendencia, dada la necesidad de garantizar en todo momento la prestación eficaz de los servicios, promoviendo al mismo tiempo la movilidad de los funcionarios y las funcionarias y su promoción profesional.

Por ello es preciso contar con unos criterios comunes de provisión en los distintos Ministerios y Organismos, acordados con las organizaciones sindicales más representativas en este ámbito, dirigidos a regular uniformemente esta materia mediante la implantación de procedimientos que permitan una mayor agilidad en la cobertura de puestos de acuerdo con los principios de igualdad, mérito, capacidad, competencia y publicidad.

A fin de asegurar este conjunto de objetivos y principios, se ha negociado este Acuerdo en el ámbito de la Mesa General de Negociación de la Administración General del Estado, de materias específicas para personal funcionario del artículo 34.1 del TREBEP.

Por todo ello, la Mesa General de Negociación de la Administración General del Estado (artículo 34.1 del TREBEP), acuerda:

La tramitación de los procedimientos de movilidad del personal funcionario en el ámbito de la Administración General del Estado se llevará a efecto teniendo en cuenta los criterios que a continuación se recogen.

1. Concursos de provisión de puestos de trabajo

Primero. *Criterios generales.* La convocatoria de los concursos de méritos para la provisión de puestos de trabajo de personal funcionario, competencia de los Ministerios y Organismos, se efectuará teniendo en cuenta los siguientes criterios definidos con la finalidad de homogeneizar la ejecución de estos procesos de provisión de vacantes.

En las convocatorias de concursos de méritos se incluirán todos los puestos de trabajo vacantes y con ocupación provisional que resulten de necesaria cobertura, en los términos, plazos y condiciones dispuestos en el Real Decreto 364/1995, de 10 marzo, por el que se aprueba el Reglamento General de Ingreso del Personal al servicio de la Administración General del Estado y de Provisión de Puestos de Trabajo y Promoción Profesional de los funcionarios Civiles de la Administración General del Estado, respecto de esas modalidades de provisión.

Se promoverá la convocatoria mínima anual de un concurso de carácter general y otro específico en los Ministerios y Organismos, tanto en los Servicios centrales como, en su caso, periféricos, con excepción de aquellos Departamentos que cuenten con una dotación de efectivos que haga recomendable la acumulación de las plazas susceptibles de convocatoria. Estas convocatorias de concurso incluirán el mayor número de tipologías de puestos de trabajo existentes en el respectivo ámbito.

Con la finalidad de facilitar la tramitación de la autorización previa de las bases y de los anexos de vacantes objeto de la misma, competencia de la Dirección General de la Función Pública, se elaborarán unas bases comunes con vocación de permanencia en el tiempo.

Segundo. *Carácter de la convocatoria.* Se podrá convocar, con carácter general, en la modalidad de concursos ordinarios de méritos todos aquellos puestos de trabajo que cuenten con nivel de complemento de destino 22 o inferior, siempre que tengan un complemento específico normalizado, con excepción de los puestos de secretaría, de aquellos cuya especialización justifique su inclusión en una convocatoria de concurso específico y de aquellos puestos que tengan doble adscripción a los subgrupos A2/C1 o adscritos exclusivamente al subgrupo A2.

Por otra parte, y sin perjuicio de su posible convocatoria en concurso ordinario de méritos, se podrán convocar en concurso de carácter específico aquellos puestos de trabajo que cuenten con nivel de complemento de destino superior al 22 o que teniendo este nivel, su complemento específico sea superior al normalizado o cuya especialización justifique su inclusión en una convocatoria de concurso específico. También se podrán convocar en concurso de carácter específico, los puestos de secretaría, y aquellos puestos que tengan doble adscripción a los subgrupos A2/C1 o adscritos exclusivamente al subgrupo A2.

Tercero. *Valoración del trabajo desarrollado.* Para la valoración de este mérito se otorgará una puntuación que tenga en consideración la experiencia adquirida por el funcionario, teniendo en cuenta el tiempo que haya estado desempeñado puestos de trabajo de un determinado nivel de complemento de destino, siempre en relación con el puesto o puestos que solicita.

Para ello se establecerá una puntuación por mes completo trabajado aumentando progresivamente la misma, de forma que el máximo se alcance tomando en consideración, al menos, los últimos cinco años (60 meses) de desempeño de un mismo o de varios puestos de trabajo.

Cuarto. *Cursos de formación y perfeccionamiento.* Los cursos susceptibles de valoración serán los impartidos o recibidos en el marco de la formación para el empleo de las Administraciones Públicas y centros oficiales de idiomas.

Solo se valorarán los cursos recibidos con una duración igual o superior a quince horas.

La valoración de los cursos se podrá graduar en función de la duración de los mismos.

Los cursos impartidos se valorarán con independencia de la duración de los mismos.

Se valorará, con carácter general, un número máximo de tres cursos para cada puesto que podrá elevarse a cuatro cuando se trate de un puesto muy especializado y con un contenido complejo que requiera una formación específica añadida.

Con carácter adicional a la formación relacionada con las funciones del puesto de trabajo, el órgano convocante podrá proponer la valoración, dentro de la puntuación otorgada a este mérito, de formación de naturaleza general o transversal, siempre que la misma sea objeto de valoración para la totalidad de los puestos incluidos en la correspondiente convocatoria.

Podrá establecerse un plazo máximo de validez de los cursos a efectos de su valoración, especialmente cuando se trate de cursos de tecnologías de la información u ofimática o cursos relativos a materias en las que la obsolescencia de los contenidos así lo recomiende.

A los exclusivos efectos de la valoración de este mérito en los concursos de provisión de puestos de trabajo de personal funcionario, podrán definirse con vocación de continuidad para las sucesivas convocatorias que se realicen en un determinado ámbito departamental u organismo, las principales áreas de trabajo. En este sentido, se identificarán las materias sobre las que han de versar los cursos de formación que sean susceptibles de ser valorados en cada una de las grandes áreas de trabajo.

Se podrán establecer también, a los efectos de la cobertura de puestos de trabajo mediante la utilización de la figura del concurso de méritos, itinerarios formativos que permitan una más adecuada planificación de la formación y de la provisión.

Quinto. *Conciliación de la vida laboral, personal y familiar.* El personal funcionario que alegue causas relativas a la conciliación de la vida personal, familiar y laboral para la adjudicación de un puesto en distinta localidad, deberá solicitar la totalidad de los puestos de trabajo que se convoquen en esa localidad, siempre que cumpla los requisitos establecidos en la correspondiente convocatoria.

En caso contrario, esto es, si no se solicitan todos los puestos de esa localidad, los supuestos de conciliación de la vida personal, familiar y laboral sólo serán objeto de valoración para la posible adjudicación de las plazas que tengan igual o inferior nivel de complemento de destino que el puesto desempeñado.

De no existir cambio de localidad, habrá de solicitar todos los puestos que se convoquen en el mismo centro de trabajo (cuando se alegue cercanía) o con la misma jornada u horario (cuando se alegue esta circunstancia), y para los que cumpla los requisitos en los términos anteriormente expuestos.

En caso contrario, esto es, si no se solicitan todos los puestos adscritos al mismo centro de trabajo o con la misma jornada u horario, los supuestos de conciliación de la vida personal, familiar y laboral sólo serán objeto de valoración para la posible adjudicación de las plazas que tengan igual o inferior nivel de complemento de destino que el puesto desempeñado.

Los supuestos relativos a la conciliación se valorarán con el porcentaje máximo de la puntuación que se otorgue a la antigüedad y con el mínimo del 10 % del total de la puntuación, en cumplimiento de lo dispuesto en el artículo 44 del Real Decreto 364/1995, de 10 de marzo.

a) Destino previo del cónyuge funcionario.

Cuando dicho destino haya sido obtenido mediante convocatoria pública en el municipio donde radique el puesto o puestos de trabajo solicitados, siempre que se acceda desde municipio distinto, se valorará este supuesto ponderando en todo caso la puntuación en función del tiempo de separación de los cónyuges.

No otorgará puntuación a aquellos supuestos en los que el participante ocupe ya un puesto de trabajo con carácter provisional (adscripción provisional o comisión de servicios) en el municipio donde tiene destino el cónyuge funcionario.

En el caso de que el destino definitivo se haya obtenido con anterioridad a la fecha del matrimonio, se computará desde la fecha de este.

b) Cuidado de hijos o de familiar.

Cuidado de hijos: Tanto cuando lo sean por naturaleza o por adopción o acogimiento permanente o preadoptivo, hasta que el hijo cumpla doce años, siempre que se acredite por los interesados fehacientemente que los puestos solicitados permiten una mejor atención del menor, se valorará ponderando la puntuación en función de la localidad de destino del funcionario y de la localidad de residencia de los hijos, así como, en su caso, del grado de discapacidad del menor objeto de cuidado.

Asimismo, podrá tenerse en cuenta para la valoración de este supuesto los casos de familias monoparentales y de familias numerosas en sus distintas categorías, siempre que dichas situaciones queden debidamente acreditadas mediante libro de familia o título de familia numerosa y, en todo caso, mediante certificado de empadronamiento de la unidad familiar.

La valoración de este supuesto será incompatible con la otorgada por el cuidado de un familiar.

Cuidado de un familiar: Hasta el segundo grado inclusive de consanguinidad o afinidad siempre que, por razones de edad, accidente, enfermedad o discapacidad no pueda valerse por sí mismo y no desempeñe actividad retribuida, siempre que se acceda desde un municipio distinto, y siempre que se acredite fehacientemente por los interesados que los puestos que solicitan permiten una mejor atención del familiar.

Se establecerá una puntuación descendente, en función del grado de consanguinidad o afinidad y del grado de discapacidad en su caso.

Sexto. *Méritos específicos*. Únicamente se procederá a valorar como méritos específicos los conocimientos y/o experiencia adquiridos en el desarrollo de las tareas propias de uno o varios puestos de trabajo cuando se hayan estado realizando durante seis meses o más.

En este apartado se tendrá en cuenta lo previsto en la Orden de 20 de julio de 1990, por la que se dictan normas para la provisión de determinados puestos de trabajo de funcionarios en la Administración Periférica del Estado, en relación con el conocimiento de las lenguas oficiales propias de las Comunidades Autónomas.

Séptimo. *Certificado de méritos*. Se establecerá un modelo único de certificado de méritos a utilizar en todas las convocatorias de concurso. Este certificado será expedido por el Órgano competente en materia de personal.

Octavo. *Certificado de funciones*. El certificado de funciones para la valoración de los méritos específicos habrá de ser expedido por el responsable o titular de la Unidad en la que se hayan desempeñado las funciones que se certifican. Se promoverá, para una mayor agilidad y transparencia en la valoración de dichos méritos en las convocatorias de concursos de méritos de carácter general, la utilización de un modelo de certificación normalizado.

Noveno. *Valoración de situaciones originadas con motivo de la conciliación de la vida personal, familiar y laboral.* A los efectos de certificar los méritos y funciones descritos en los apartados anteriores, se aplicará lo dispuesto en el artículo 57 de la Ley Orgánica 3/2007, de 22 de marzo, para la Igualdad efectiva de mujeres y hombres, según el cual en las bases de los concursos para la provisión de puestos de trabajo se computará, a los efectos de valoración del trabajo desarrollado y de los correspondientes méritos, el tiempo que las personas candidatas hayan permanecido en las situaciones a que se refiere el artículo anterior 56: excedencias, reducciones de jornada, permisos u otros beneficios concedidos con el fin de proteger la maternidad y paternidad y facilitar la conciliación de la vida personal, familiar y laboral.

Décimo. *Listados provisionales de adjudicación de puestos.* Se informará a los diferentes candidatos de las valoraciones provisionales otorgadas y se promoverá la publicidad de listados provisionales de adjudicación de los puestos por parte de los órganos convocantes de los concursos de méritos. Las convocatorias recogerán el momento o fecha concreta de tramitación del correspondiente concurso de méritos a partir de la cual no se podrán realizar ya alegaciones a las valoraciones que se han dado a conocer. Esa fecha será objeto de la debida publicidad.

Undécimo. *Renuncias y desistimientos a la participación en los concursos.* Renuncia parcial a la solicitud de participación en un concurso: se permitirá hasta la fecha en la que se reúna la comisión de valoración del concurso. De la fecha de la reunión se dará publicidad con suficiente antelación.

Desistimiento de la solicitud realizada (implica el desistimiento de la solicitud en sí misma, incluyendo la totalidad de los puestos solicitados): se admitirá hasta al día anterior a la fecha de publicación de los listados provisionales de valoración de las solicitudes. Dicha fecha será objeto de publicidad con la debida antelación. De las valoraciones provisionales se dará también la suficiente publicidad.

Obligación del personal funcionario de comunicar al órgano convocante de los concursos en los que ha participado, que ha resultado adjudicatario de un puesto en otro concurso, salvo que sean coincidentes los plazos posesorios, situación en que el mismo tiene derecho a optar entre los puestos que le hayan sido adjudicados, opción que también estará obligado a comunicar a los Ministerios y/u Organismos afectados.

Duodécimo. *Limitaciones a la participación en las convocatorias de concurso.* Las limitaciones a la participación en las convocatorias de concursos de méritos de los funcionarios que se encuentran destinados en los ámbitos prestacionales del Servicio Público de Empleo Estatal y en el Fondo de Garantía Salarial, se flexibilizarán de manera progresiva.

En este sentido y a partir del 1 de enero de 2019, podrán ya participar aquellos que tengan acreditados seis años de desempeño efectivo de puestos de trabajo adscritos a esos ámbitos.

Estas limitaciones se revisarán con carácter anual, atendiendo al criterio de flexibilización anteriormente señalado, durante la vigencia del presente Acuerdo.

Decimotercero. *Concurso unitario.* La Secretaría de Estado de Función Pública iniciará la tramitación de un concurso unitario de méritos en aplicación de lo dispuesto en el artículo 40.2 de Real Decreto 364/1995, de 10 de marzo, previa negociación con las Organizaciones sindicales de los términos y criterios de las bases de convocatoria y previa información de la tipología de los puestos de trabajo a incluir en función de las necesidades organizativas manifestadas por los Departamentos ministeriales.

El concurso unitario de méritos estará basado primordialmente en la valoración de la antigüedad y razones de conciliación de la vida personal, familiar y laboral.

2. Otras formas de provisión de puestos de trabajo

Primero. *Ocupación provisional de puestos de trabajo.* La Dirección General de la Función Pública solicitará a los Departamentos ministeriales un informe semestral sobre la ocupación provisional, autorizada en el ámbito del Departamento u Organismo, de las plazas vacantes de su respectiva Relación de puestos de trabajo.

Del análisis de dichos datos serán informadas las Organizaciones sindicales en el seno del Grupo de Trabajo de Movilidad del Personal Funcionario.

Segundo. *Movilidad interadministrativa.* Los instrumentos de movilidad del personal funcionario entre las distintas Administraciones Públicas, contemplados en el Acuerdo Marco para fomentar la movilidad de los empleados públicos entre Administraciones Públicas, han permitido en ocasiones desarrollar de manera eficaz esta forma de movilidad, si bien actualmente resulta necesario avanzar en esta materia diseñando nuevas fórmulas de movilidad e intercambio.

Por ese motivo, la Dirección General de la Función Pública, en colaboración con las Organizaciones Sindicales, analizará en el seno del Grupo de Trabajo de Movilidad de Personal Funcionario esta materia con la finalidad de plantear ante el órgano competente, la Comisión de Coordinación del Empleo Público, la puesta en marcha de nuevos Acuerdos o mecanismos que promuevan la movilidad interadministrativa de los empleados públicos.

Tercero. *Traslados por motivos de salud.* Se establecerán criterios en relación con los traslados por motivos de salud que permitan la utilización adecuada de esta figura con la finalidad de desligarla de los supuestos en los que concurren razones de conciliación de la vida personal, familiar y laboral de los funcionarios que no guardan relación directa con el puesto de trabajo asignado, para lo cual se procederá, en el seno del Grupo de Trabajo de Movilidad de Personal Funcionario, a la revisión y, en su caso, reformulación o reelaboración de los criterios fijados en la Resolución de la Secretaría de Estado de Administraciones Públicas 28 de enero de 2004. La propuesta del Grupo se trasladará a la Comisión de Seguimiento, en los términos dispuestos en el apartado 4 del presente Acuerdo.

Cuarto. *Atribución temporal de funciones.* La Dirección General de la Función Pública asumirá la competencia para la autorización de las atribuciones temporales de funciones que revistan carácter interdepartamental.

3. Vigencia del Acuerdo

El presente Acuerdo tendrá una vigencia de un año desde su firma, prorrogándose tácitamente por periodos anuales, salvo denuncia por cualquiera de las partes con una antelación mínima de tres meses a la finalización de su vigencia en cada periodo.

4. Comisión de Seguimiento

Las partes firmantes acuerdan la creación de una Comisión de Seguimiento que tendrá como funciones:

El impulso, supervisión y coordinación de su desarrollo, evaluando su ejecución.

La resolución de las dudas interpretativas que pudieran surgir durante la vigencia del mismo.

Todas las que se acuerden en este órgano.

La Comisión de Seguimiento será paritaria y estará compuesta por dieciocho integrantes, nueve a propuesta de la Administración y nueve a propuesta de las organizaciones sindicales firmantes del presente Acuerdo y con representación en la Mesa General de Negociación del artículo 34.1 del texto refundido de la Ley del Estatuto Básico del Empleado Público.

Su convocatoria se realizará a petición de cualquiera de las partes y se reunirá con carácter ordinario una vez al año.

3. RESOLUCIÓN DE 16 DE NOVIEMBRE DE 2018, DE LA SECRETARÍA DE ESTADO DE FUNCIÓN PÚBLICA, POR LA QUE SE PUBLICA EL ACUERDO DE LA CONFERENCIA SECTORIAL DE ADMINISTRACIÓN PÚBLICA, POR LA QUE SE APRUEBA EL ACUERDO PARA FAVORECER LA MOVILIDAD INTERADMINISTRATIVA DE LAS EMPLEADAS PÚBLICAS VÍCTIMAS DE VIOLENCIA DE GÉNERO

(BOE núm. 278, 17 de noviembre de 2018)

La Conferencia Sectorial de Administración Pública, en su reunión de 22 de octubre de 2018, acordó por unanimidad de sus miembros aprobar el Acuerdo para favorecer la movilidad interadministrativa de las empleadas públicas víctimas de violencia de género.

En cumplimiento de lo dispuesto en el artículo 151 de la Ley 40/2015, de 1 de octubre, de Régimen Jurídico del Sector Público, y en el artículo 16 del Reglamento de Organización y Funcionamiento de la Conferencia Sectorial de Administración Pública y para general conocimiento, se dispone la publicación del Acuerdo para favorecer la movilidad interadministrativa de las empleadas públicas víctimas de violencia de género, que figura como anexo a esta resolución.

ANEXO
ACUERDO PARA FAVORECER LA MOVILIDAD INTERADMINISTRATIVA DE LAS EMPLEADAS PÚBLICAS VÍCTIMAS DE VIOLENCIA DE GÉNERO

Aprobado el 22 de octubre de 2018.

La Decisión (UE) 2017/865 del Consejo, de 11 de mayo de 2017, relativa a la firma, en nombre de la Unión Europea, del Convenio del

Consejo de Europa sobre prevención y lucha contra la violencia contra las mujeres y la violencia doméstica, en lo que respecta a asuntos relacionados con la cooperación judicial en materia penal señala que la violencia contra las mujeres es una violación de sus derechos humanos y una forma extrema de discriminación que no sólo hunde sus raíces en las desigualdades de género sino que además contribuye a mantenerlas y reforzarlas.

En este sentido, este Acuerdo forma parte de las medidas de lucha contra la violencia de género, dado que, en palabras del Parlamento Europeo, la violencia contra las mujeres constituye un atentado contra el derecho a la vida, a la seguridad, a la libertad, a la dignidad y a la integridad física y psíquica de las víctimas y supone, por lo tanto, un obstáculo para el desarrollo de una sociedad democrática.

El objetivo de garantizar la continuidad de las empleadas públicas víctimas de violencia de género en el desempeño de su empleo público, así como de mantener las retribuciones que vinieran percibiendo cuando se ven obligadas a cambiar de localidad de residencia más allá del ámbito competencial de la Administración Pública donde prestan sus servicios, viene amparado también por lo dispuesto en las Resoluciones del Parlamento Europeo de 2014 y 2017, en las que se destaca que al objeto de ser más eficaces, las medidas para combatir la violencia contra las mujeres deben ir acompañadas de acciones que aborden las desigualdades económicas en función del sexo y que promuevan la independencia económica de las mujeres y, se considera además que reforzar la independencia y la participación económica y social reduce la vulnerabilidad de las mujeres frente a la violencia de género.

Corresponde a los poderes públicos promover las condiciones para que la libertad y la igualdad del individuo y de los grupos en que se integra sean reales y efectivas, removiendo los obstáculos que impidan o dificulten su plenitud, de acuerdo con el artículo 9.2 de la Constitución española de 1978. Esta afirmación tiene especial trascendencia en las mujeres víctimas de violencia de género, dado que constituye uno de los ataques más flagrantes a los derechos fundamentales reconocidos en la Constitución, como la libertad, la igualdad, la vida, la seguridad y la no discriminación.

Si bien el artículo 82.1 del texto refundido de la Ley del Estatuto Básico del Empleado Público, aprobado por Real Decreto Legislativo 5/2015, de 30 de octubre, contempla la movilidad por razón de violencia de género como normativa básica, la coexistencia de diversas Administraciones Públicas con competencias en distintos ámbitos territoriales hace necesaria la articulación de medidas de colaboración y coordinación, al objeto de dar una respuesta eficaz y soluciones ágiles en esta materia cuando la solicitud de movilidad transcienda del ámbito competencial de una Administración Pública.

Este Acuerdo acoge las recomendaciones internacionales y la normativa básica en materia de empleo público abordando la movilidad motivada por la violencia de género, debiendo entenderse como parte de un sistema integral de prevención y protección de las empleadas víctimas de esta clase de violencia. Además, tiene como objetivo articular una respuesta efectiva que dote de seguridad jurídica a las empleadas públicas que sean víctimas de la violencia de género, así como dar respuesta a la necesidad de protección integral, en el marco del Pacto de Estado en materia de violencia de género.

Primero. *Objeto.* Este Acuerdo se propone servir como marco general de colaboración, coordinación y comunicación, entre las Administraciones Públicas al objeto de facilitar la aplicación del principio de movilidad de las empleadas públicas de las Administraciones que tengan la condición de víctimas de violencia de género, dando efectividad al derecho contemplado en el artículo 82.1 del texto refundido de la Ley del Estatuto Básico del Empleado Público, aprobado por Real Decreto Legislativo 5/2015, de 30 de octubre, y demás normativa reguladora sobre la materia.

Segundo. *Actuaciones.* Para facilitar la movilidad por razón de violencia de género de las empleadas públicas que se vean obligadas a abandonar su puesto de trabajo en la Administración de origen, es necesario que en términos de reciprocidad entre todas las Administraciones Públicas, y de acuerdo con la normativa reguladora en la materia, se aborden las acciones que resulten necesarias, dando efectividad a las medidas de protección o al derecho a la asistencia social integral, mediante:

a) La atención de las solicitudes de movilidad de las empleadas públicas víctimas de violencia de género a requerimiento de otra Administración Pública, siempre que la situación de víctima de violencia de género quede debidamente acreditada y no sea posible dar solución a la movilidad por parte de esa Administración.

b) La tramitación con carácter preferente de estos procedimientos, al objeto de que la resolución se dicte en el plazo más breve posible.

c) La protección de la intimidad de las víctimas, en especial sus datos personales, los de los ascendientes, descendientes y los de cualquier persona que esté bajo su custodia o guarda.

Tercero. *Ámbito subjetivo.* El Acuerdo será de aplicación al conjunto de empleadas públicas víctimas de violencia de género que presten servicios en las Administraciones Públicas.

Cuarto. *Acreditación de la situación de violencia de género.* La acreditación de la situación de violencia de género, a efectos de lo dispuesto en este Acuerdo, se realizará por alguno de los siguientes medios:

a) Sentencia condenatoria por un delito de violencia de género.

b) Orden de protección o cualquier otra resolución judicial que acuerde una medida cautelar a favor de la víctima.

c) Informe del Ministerio Fiscal que indique la existencia de indicios de que la demandante es víctima de violencia de género.

d) Informe de los servicios sociales, de los servicios especializados o de los servicios de acogida destinados a víctimas de violencia de género de la Administración Pública competente; o por cualquier título, siempre que ello esté previsto en las disposiciones normativas de carácter sectorial que regulen el acceso a cada uno de los derechos y recursos.

Quinto. *Solicitud e instrucción del procedimiento.* 1. La empleada pública deberá dirigir su solicitud al órgano competente de la Administración Pública en que se encuentra destinada, aportando la documentación justificativa de su condición de víctima de violencia de género con indicación del ámbito geográfico al que desea que se lleve a efecto la movilidad y motivación de la necesidad de traslado a ese ámbito en concreto.

2. Cuando la Administración Pública de origen de la interesada no cuente con Unidades o Dependencias ubicadas en el ámbito geográfico por ella solicitado, o por otras causas justificadas no resulte posible su reubicación en la misma, la Administración que corresponda se dirigirá a la Administración o Administraciones Públicas con competencias en ese ámbito y que puedan disponer de una estructura de puestos de trabajo en él, instando la tramitación del expediente de movilidad. A estos efectos, adjuntará tanto la solicitud como el resto de documentación aportada por la solicitante.

3. Con carácter previo al traslado de la petición de movilidad de la empleada pública a otra Administración, la Administración de origen de dicha empleada pondrá a su disposición una relación de los puestos de trabajo ubicados en su respectivo ámbito, que pudieran permitir hacer efectiva su seguridad y asistencia social integral mediante su traslado a otro municipio distinto del solicitado.

4. La movilidad de la empleada pública se efectuará, en todo caso, a un puesto de trabajo ubicado en el ámbito geográfico nacional. Dicho puesto habrá de ser adecuado a la naturaleza de la relación de servicios

de la solicitante y a su clasificación profesional, y ésta deberá reunir los requisitos exigidos para el desempeño del mismo que figuren en la respectiva relación de puestos de trabajo u otros instrumentos organizativos similares, pudiendo realizarse, en su caso, las adaptaciones y equivalencias que sean necesarias.

5. A estos efectos, cada Administración Pública regulará de manera expresa y clara, con la finalidad de facilitar el ejercicio de este derecho por parte de las empleadas públicas víctimas de violencia de género, los modelos de solicitud, así como la documentación a aportar y lugar de presentación y determinarán el procedimiento a seguir para resolverlo con carácter urgente y para salvaguardar siempre la privacidad de las empleadas afectadas y de sus familiares.

Sexto. *Efectos de la movilidad y duración.*1. El traslado de localidad por razón de violencia de género tendrá la consideración de forzoso, tal como establece el artículo 82.1 del texto refundido de la Ley del Estatuto Básico del Empleado Público, aprobada por Real Decreto Legislativo 5/2015, de 30 de octubre.

2. Las indemnizaciones que, en su caso, correspondan a la empleada pública serán a cargo de la Administración Pública de origen en la que se encuentre destinada en el momento de efectuarse la movilidad.

3. La ocupación por la interesada del nuevo puesto adjudicado tendrá carácter provisional, en tanto no obtenga un puesto con carácter definitivo.

4. La incorporación al nuevo destino deberá realizarse en el plazo más breve posible. En todo caso, la incorporación deberá producirse en el plazo máximo de tres días hábiles si no comporta cambio de residencia de la empleada pública o de ocho días hábiles, prorrogables justificadamente hasta un máximo de un mes, si lo comporta, desde la notificación de la resolución de movilidad.

5. La Administración pública de destino, mantendrá a la empleada pública en el puesto que le sea adjudicado, en tanto permanezcan las

circunstancias que dieron lugar a la movilidad, sin que dicho puesto de trabajo pueda ser durante todo ese período objeto de convocatoria para su cobertura definitiva.

6. La Administración de origen tendrá la obligación de reservar a la empleada pública un destino en la misma localidad y de iguales características retributivas a las del puesto que ocupaba, durante el tiempo en que dicha empleada permanezca destinada con carácter provisional en la Administración a la que se traslade por razón de violencia de género, hasta obtener un puesto con carácter definitivo, sea en la de Administración de destino, en la de origen o en una tercera.

7. Las Administraciones Públicas intervinientes en la movilidad se comunicarán recíprocamente la formalización del cese y la toma de posesión de la empleada pública en el momento en que se produzcan.

8. Todas las retribuciones correspondientes al plazo posesorio serán abonadas por la Administración Pública de origen en la cuantía correspondiente al puesto de trabajo que venía desempeñando. Las retribuciones o salarios del nuevo puesto corresponderán a la Administración Pública a la que va destinada a partir de la fecha de la toma de posesión en el nuevo puesto de trabajo.

9. La empleada pública tendrá derecho a percibir las retribuciones que correspondan al puesto que le sea adjudicado en la Administración a la que se traslade, para lo que la Administración de origen, en caso de que se produzca pérdida retributiva, regulará un mecanismo de compensación articulado desde la perspectiva presupuestaria, que permita el abono de una indemnización en tanto se mantenga esa diferencia retributiva.

10. La empleada pública tendrá la obligación de comunicar a la Administración en la que se le ha adjudicado el nuevo destino, la desaparición, en su caso, de las circunstancias que dieron lugar a la necesidad de traslado o la pérdida de la condición de víctima de violencia de género, promoviéndose en ese momento la reincorporación a su Administración de origen. Los plazos para dicha reincorporación

serán los mismos indicados en el apartado 4 del presente punto y este retorno tendrá la consideración de movilidad voluntaria.

11. Se protegerá la intimidad de las empleadas públicas en las anotaciones de los actos administrativos que deban realizarse en los registros de personal de las Administraciones Públicas, así como en el acceso a la información existente sobre ellas en los sistemas de información de las distintas Administraciones Públicas.

Séptimo. *Traslados de corta duración y solución transitoria ante la inexistencia de vacante.* En aquellos supuestos en los que, por las circunstancias excepcionales de su situación, la interesada solicite únicamente un traslado temporal de duración inferior a 6 meses, o cuando no exista vacante para poder resolver con la inmediatez necesaria el traslado, la Administración de origen y aquella en la que vaya a prestar servicios la empleada pública, podrán acordar en su favor una atribución temporal de funciones en comisión de servicios o figura similar que contemple el convenio colectivo aplicable al personal laboral, continuando la interesada como titular de su puesto de trabajo en la Administración de origen y percibiendo sus retribuciones con cargo a esa Administración.

Transcurrido ese plazo finalizará la atribución temporal de funciones o figura equivalente y se actuará de acuerdo con lo dispuesto en los apartados anteriores, en el caso de persistir la necesidad de traslado.

Octavo. *Empleadas públicas con relación de servicios de carácter no permanente.* En los supuestos de movilidad de empleadas públicas con relaciones de servicio de carácter no permanente, la Administración Pública a la que vayan destinadas formalizará una nueva relación de servicios de igual carácter que aquella que mantenía con la Administración de origen.

Noveno. *Otras consideraciones relacionadas con situaciones de violencia de género.* Las Administraciones Públicas procurarán la utilización también de las herramientas de provisión de puestos de trabajo existentes en su respectivo ámbito competencial para atender la posible necesidad de traslado de las empleadas o empleados públicos que tengan a su cargo bajo su patria potestad, tutela, guarda o acogimiento a una menor o a una persona con discapacidad, que tenga la condición de víctima de violencia de género, en aquellos supuestos en los que la situación de la víctima aconseje un cambio de localidad de la residencia familiar.

Décimo. *Exclusión de obligaciones económicas.* La aplicación y ejecución de este Acuerdo, incluyéndose todos los actos jurídicos que puedan dictarse en su ejecución y desarrollo, no podrá suponer obligaciones económicas para las Administraciones Públicas y, en todo caso, se atenderán con sus medios personales y materiales, sin perjuicio de la ordenación del abono de retribuciones o salarios y, en su caso, indemnizaciones derivadas de la movilidad de la empleada pública.

Undécimo. *Adecuación normativa.* Las Administraciones Públicas adecuarán sus normas legales y convencionales aplicables a la movilidad de las empleadas públicas víctimas de violencia de género a lo establecido en el presente Acuerdo, a través de los mecanismos jurídicos que sean necesarios para tal fin.

Duodécimo. *Aplicación del presente Acuerdo a empleadas públicas con normativa específica.* Se promoverán, en el marco competencial correspondiente, las actuaciones necesarias para que las medidas recogidas en el presente Acuerdo puedan ser de aplicación a las empleadas públicas sujetas a legislación específica propia en materia de movilidad.

4. RESOLUCIÓN DE 22 DE NOVIEMBRE DE 2018, DE LA SECRETARÍA DE ESTADO DE FUNCIÓN PÚBLICA, POR LA QUE SE PUBLICAN LOS ACUERDOS PARA LA AMPLIACIÓN DEL PERMISO DE PATERNIDAD A DIECISÉIS SEMANAS Y PARA LA APLICACIÓN DE LA BOLSA DE HORAS PREVISTA EN LA DISPOSICIÓN ADICIONAL CENTÉSIMA CUADRAGÉSIMA CUARTA DE LA LEY 6/2018, DE 3 DE JULIO, DE PRESUPUESTOS GENERALES DEL ESTADO PARA EL AÑO 2018

(BOE núm. 293, 5 de diciembre de 2018)

Con fecha 29 de octubre de 2018, en el seno de la Mesa General de Negociación de la Administración General del Estado, regulada en el artículo 36.3 del Real Decreto Legislativo 5/2015, de 30 de octubre, por el que se aprueba el texto refundido de la Ley del Estatuto Básico del Empleado Público, se firmó el Acuerdo para la ampliación del permiso de paternidad a dieciséis semanas, y el Acuerdo para la aplicación de la bolsa de horas prevista en la disposición adicional centésima cuadragésima cuarta de la Ley de Presupuestos Generales del Estado para el año 2018, previa negociación en la Comisión Técnica de Igualdad celebrada el día 26 de octubre.

Respecto al Acuerdo para la ampliación del permiso de paternidad a dieciséis semanas, la desigualdad en la asunción de las responsabilidades familiares y de las tareas domésticas entre hombres y mujeres en nuestra sociedad es todavía una realidad, debido a factores culturales y de organización social.

Siendo la voluntad del Gobierno el avanzar e impulsar medidas para hacer efectivo el derecho de igualdad de trato y de oportunidades entre mujeres y hombres, y con el convencimiento de que la Administración General del Estado ha de servir de ejemplo en la implementación de medidas que impulsen la corresponsabilidad, como ha venido haciendo durante años, se plantea la necesidad de equiparar, previa negociación colectiva, la duración del permiso de paternidad a los permisos por parto o adopción, para el personal que trabaja al servicio de la Administración General del Estado.

Por otra parte, el Acuerdo de 9 de marzo de 2018, II Acuerdo para la Mejora del empleo público y de condiciones de trabajo, prevé la existencia de una bolsa de un 5% de la jornada anual para la conciliación de la vida familiar y profesional, previsión que se plasmó normativamente en la Disposición adicional centésima cuadragésima cuarta «Jornada de trabajo en el Sector Público» de la Ley 6/2018, de 3 de julio, de Presupuestos Generales del Estado para el año. Con la voluntad y compromiso de la Administración General del Estado, de ser ejemplo en el desarrollo de medidas que impulsen la conciliación de la vida laboral y familiar y la corresponsabilidad del personal a su servicio, se propone regular el máximo de horas de libre disposición, es decir, el 5% de la jornada anual, dando asimismo cumplimiento a los compromisos adquiridos entre la Administración General del Estado y Organizaciones Sindicales en el marco del diálogo social.

Por ello y de conformidad con las facultades que corresponden a la Secretaría de Estado de Función Pública atribuidas en el artículo 6 del Real Decreto 863/2018, de 13 de julio, por el que se desarrolla la estructura orgánica básica del Ministerio de Política Territorial y Función Pública, previo acuerdo en el ámbito de la Mesa General de Negociación de la Administración General del Estado, resuelvo:

Ordenar la publicación de los Acuerdos, cuyo contenido aparece desarrollado en el anexo de esta Resolución.

ANEXO
Acuerdo de la Mesa General de Negociación de la Administración General del Estado (artículo 36.3 TRLEBEP) para la ampliación del permiso de paternidad a dieciséis semanas

Madrid, 29 de octubre de 2018.

La desigualdad en la asunción de las responsabilidades familiares y de las tareas domésticas entre hombres y mujeres en nuestra sociedad es todavía una realidad, debido a factores culturales y de organización social. Las Administraciones Públicas no son ajenas a esta realidad, por lo que en este marco, y en el ámbito de la Administración General del Estado, es clave abordar la corresponsabilidad, esto es, la responsabilidad compartida en el hogar, para fomentar una cultura donde el cuidado de menores, personas mayores y otras personas dependientes, así como la realización de actividades domésticas, se asuma de manera equilibrada e independientemente del género.

La Administración General del Estado viene trabajando en esta materia desde hace años. La Orden APU/526/2005, de 7 de marzo, por la que se dispone la publicación del Acuerdo de Consejo de Ministros de 4 de marzo de 2005, que aprobó un Plan para la igualdad de género en la Administración General del Estado, contenía un catálogo de innovadoras medidas en lo que a igualdad entre mujeres y hombres se refiere. La Orden APU/3902/2005, de 15 de diciembre, de mejora de las condiciones de trabajo y la profesionalización de los empleados y empleadas públicos, incluyó medidas pioneras para la conciliación de la vida personal, familiar y laboral (Plan Concilia). Destacan también las medidas de eje 4, dedicado a la conciliación de la vida familiar, personal y laboral, del II Plan de Igualdad entre mujeres y hombres de la AGE (Resolución del Consejo de Ministros de 20 de noviembre de 2015).

Por último, destacar la ampliación a 5 semanas del permiso de paternidad, en vigor desde julio de 2018, a través de la Ley 6/2018, de 3 de julio, de Presupuestos Generales del Estado.

Siendo la voluntad del Gobierno el avanzar e impulsar medidas para hacer efectivo el derecho de igualdad de trato y de oportunidades entre mujeres y hombres, y con el convencimiento de que la Administración General del Estado ha de servir de ejemplo en la implementación de medidas que impulsen la corresponsabilidad, se plantea la necesidad de equiparar, previa negociación colectiva, la duración del permiso de paternidad a los permisos por parto o adopción, para el personal que trabaja al servicio de la Administración General del Estado, cumpliendo con la voluntad del Gobierno de avanzar en políticas y medidas en pro de la igualdad efectiva entre mujeres y hombres, de la conciliación y la corresponsabilidad.

En la Administración General del Estado el ámbito para dicha negociación colectiva es la Mesa General de Negociación de la Administración General del Estado, de materias comunes al personal funcionario y laboral, del artículo 36.3 del TRLEBEP. En virtud de ello, la Mesa General de Negociación de la Administración General del Estado (artículo 36.3 del TRLEBEP), previa negociación en el seno de la Comisión Técnica de Igualdad.

ACUERDAN

1. Aprobar para todo el personal, funcionario, estatutario o laboral, al servicio de la Administración General del Estado, de sus Organismos o de sus Entidades públicas dependientes, que el permiso de paternidad por nacimiento, guarda con fines de adopción, adopción o acogimiento de un hijo/hija se amplíe a un total de 16 semanas.

2. Aprobar que dicho permiso sea no transferible, y se distribuya a opción de la persona solicitante, siempre que:

Las cuatro primeras semanas sean ininterrumpidas e inmediatamente posteriores a la fecha del parto, de la decisión administrativa de guarda con fines de adopción o acogimiento, o de la resolución judicial por la que se constituya la adopción.

Las doce semanas restantes no sean simultáneas, sino anteriores o sucesivas, e ininterrumpidas, a las semanas siete a dieciséis del permiso por parto, o a las semanas cinco a la dieciséis del permiso por adopción, guarda con fines de adopción o acogimiento, del otro progenitor.

Tanto la transferibilidad del permiso como el disfrute simultáneo de los periodos de descanso, más allá de los periodos acordados, sería contrario al fin último de este acuerdo, que no es otro que el fomento de la corresponsabilidad y el acabar con los factores sociales y culturales que perpetúan un modelo tradicional y discriminatorio en la asunción de roles y responsabilidades entre mujeres y hombres.

3. Incluir, en la redacción normativa de este permiso, las mismas ampliaciones de los permisos de parto o adopción, para supuestos tales como discapacidad del menor; nacimiento, adopción o acogimiento múltiple; parto prematuro y cuando el neonato/a deba permanecer hospitalizado. Así mismo, determinar también el proceder en el supuesto de ser solicitada la lactancia acumulada por el mismo progenitor que disfruta del permiso de paternidad.

4. Aprobar la implementación del permiso de paternidad al que se refiere el apartado Uno del presente Acuerdo, de forma progresiva, en la siguiente periodificación:

a) En 2019: Permiso de ocho semanas, con cuatro semanas inmediatamente posteriores a la fecha de parto, decisión administrativa de guarda con fines de adopción o acogimiento, o resolución judicial por la que se constituya la adopción; y cuatro semanas disfrutadas de forma ininterrumpida, anteriores o sucesivas al descanso del otro progenitor en los términos establecidos en el punto 2.

b) En 2020: Permiso de doce semanas, con cuatro semanas inmediatamente posteriores a la fecha de parto, decisión administrativa de guarda con fines de adopción o acogimiento, o resolución judicial por la que se constituya la adopción; y ocho semanas disfrutadas de forma ininterrumpida, anteriores o sucesivas al descanso del otro progenitor en los términos establecidos en el punto 2.

c) En 2021: Permiso de 16 semanas, con cuatro semanas inmediatamente posteriores a la fecha de parto, decisión administrativa de guarda con fines de adopción o acogimiento, o resolución judicial por la que se constituya la adopción; y doce semanas disfrutadas de forma ininterrumpida, anteriores o sucesivas al descanso del otro progenitor en los términos establecidos en el punto 2.

Acuerdo de la Mesa General de Negociación de la Administración General del Estado (artículo 36.3 TRLEBEP) para la aplicación de la bolsa de horas prevista en la disposición adicional centésima cuadragésima cuarta de la Ley de Presupuestos Generales del Estado para el año 2018

Madrid, 29 de octubre de 2018.

El Acuerdo de 9 de marzo de 2018, II Acuerdo para la Mejora del empleo público y de condiciones de trabajo, prevé la existencia de una bolsa de un 5% de la jornada anual para la conciliación de la vida familiar y profesional, que se plasmó normativamente en la Disposición adicional centésima cuadragésima cuarta «Jornada de trabajo en el Sector Público» de la Ley 6/2018, de 3 de julio, de Presupuestos Generales del Estado para el año 2018 que recoge, en su punto 4, la posibilidad de que cada Administración regule, previa negociación colectiva, una bolsa de horas de libre disposición acumulables entre sí, de hasta un 5% de la jornada anual, con carácter recuperable en el periodo de tiempo que así se determine, y dirigida de forma justificada a la adopción de medidas de conciliación para el cuidado y atención de personas mayores, personas con discapacidad, e hijos/hijas menores, en los términos que en cada caso se determinen.

La Administración General del Estado ha de ser ejemplo en el desarrollo de medidas que impulsen la conciliación de la vida laboral y familiar y la corresponsabilidad del personal al servicio de la Administración. Con la voluntad y compromiso de que así sea, se propone regular el máximo de horas de libre disposición, es decir, el 5% de la jornada anual, dando asimismo cumplimiento a los compromisos adquiridos entre la Administración General del Estado y Organizaciones Sindicales en el marco del diálogo social.

En este sentido, el propósito de la Administración General del Estado es establecer un marco que garantice y facilite el uso de la bolsa de horas de forma ágil y flexible, que permita la conciliación de la vida familiar y laboral sin menoscabo de las necesidades organizativas.

Por todo ello, la Mesa General de Negociación de la Administración General del Estado (artículo 36.3 del TRLEBEP).

ACUERDA

1. Aprobar para todo el personal, funcionario, estatutario o laboral, al servicio de la Administración General del Estado, de sus Organismos o de sus Entidades públicas dependientes una bolsa de horas de un 5% de la jornada anual de cada empleado o empleada, individualmente considerados.

2. La bolsa de horas es una medida de flexibilidad horaria y en ningún caso sustituye a los permisos existentes ni a las licencias en esta materia.

3. De acuerdo con lo establecido en la disposición adicional centésima cuadragésima cuarta de la LPGE para el año 2018 se aplicará a los casos de cuidado de hijos o hijas menores de edad y para la atención de personas mayores y personas con discapacidad hasta el primer grado de consanguinidad o afinidad.

4. La utilización de las horas tendrá carácter recuperable, fijándose un plazo máximo de 3 meses, desde el hecho causante, para la recuperación de las horas utilizadas, debiendo cumplir al final de año con el total de la jornada anual correspondiente.

5. Las horas recuperadas no se volverán a incorporar en ningún caso al saldo de horas por utilizar de la bolsa total de horas de que se dispone durante ese ejercicio.

6. Las horas podrán acumularse en jornadas completas siempre que exista una razón justificada para ello, considerando las peculiaridades de la prestación del servicio público.

7. Para la justificación del uso de la bolsa de horas será necesaria, en todo caso, una declaración responsable del empleado o empleada público.

8. La Secretaría de Estado de Función Pública dictará, en su caso, las oportunas instrucciones para la adecuada implantación y gestión de la flexibilidad horaria prevista en el presente acuerdo.

9. Por último se acuerda remitir el presente acuerdo al órgano técnico competente, para una vez efectuados los trámites correspondientes, proceder a las adaptaciones normativas necesarias.

5. RESOLUCIÓN DE 28 DE FEBRERO DE 2019, DE LA SECRETARÍA DE ESTADO DE FUNCIÓN PÚBLICA, POR LA QUE SE DICTAN INSTRUCCIONES SOBRE JORNADA Y HORARIOS DE TRABAJO DEL PERSONAL AL SERVICIO DE LA ADMINISTRACIÓN GENERAL DEL ESTADO Y SUS ORGANISMOS PÚBLICOS

(BOE núm. 52, 1 de marzo de 2019)

Las Administraciones Públicas son competentes para establecer la ordenación del tiempo de trabajo del personal a su servicio, de acuerdo con lo establecido en los artículos 47 y 51 del texto refundido de la Ley del Estatuto Básico del Empleado Público, aprobado por Real Decreto Legislativo 5/2015, de 30 de octubre.

Esta competencia debe ser ejercida respetando, a su vez, lo establecido en el artículo 37.1.m) del mismo texto legal, que señala como materias objeto de negociación las referidas a calendario laboral, horarios, jornadas y permisos.

La Ley 6/2018, de 3 de julio, de Presupuestos Generales del Estado para el año 2018, a través de su Disposición adicional centésima cuadragésima cuarta, fija nuevas medidas que afectan al régimen de jornada y horarios de los empleados y empleadas públicos.

Asimismo, se incluyen varias medidas orientadas a mejorar la conciliación de la vida personal, familiar y profesional. Entre las mismas consta una bolsa de horas de libre disposición acumulables entre sí, de hasta un 5 % de la jornada anual, dirigida de forma justificada al cuidado y atención de personas mayores, personas con discapacidad, hijos o hijas menores y menores sujetos a tutela o acogimiento.

Con el propósito de dar mayor cohesión y homogeneidad a la regulación sobre jornadas y horarios del personal al servicio de la Administración General del Estado, se introducen modificaciones en materia de permisos y vacaciones con la finalidad de adecuarlos a la vigente regulación legal; se aclara el contenido de diversos preceptos y se incorporan algunas medidas encaminadas a simplificar la gestión de los órganos competentes en materia de recursos humanos.

En consecuencia, se hace necesaria la aprobación de una nueva Resolución que sustituya a la de 28 de diciembre de 2012 de la Secretaría de Estado de Administraciones Públicas, por la que se dictan instrucciones sobre jornada y horarios de trabajo del personal al servicio de la Administración General del Estado y sus organismos públicos («BOE» de 29 de diciembre) y que, a su vez, sistematice e integre todos los aspectos tratados en aquella.

Por tanto, en ejercicio de las competencias que se le asignan en el artículo 6 del Real Decreto 863/2018, de 13 de julio, por el que se desarrolla la estructura orgánica básica del Ministerio de Política Territorial y Función Pública, previa negociación en la Mesa General de Negociación de la Administración General del Estado, y con el informe preceptivo de la Comisión Superior de Personal, de acuerdo con lo dispuesto en el artículo 2 del Real Decreto 349/2001, de 4 de abril, esta Secretaría de Estado ha resuelto:

1. Ámbito de aplicación

1.1 Las instrucciones contenidas en esta Resolución son de aplicación a todos los empleados y empleadas públicos al servicio de:

– La Administración General del Estado.

– Las entidades gestoras y servicios comunes de la Seguridad Social.

– Los organismos públicos, agencias y demás entidades de derecho público con personalidad jurídica propia vinculadas o dependientes de la Administración General del Estado, que se rijan por la normativa general de Función Pública.

1.2 Las normas contenidas en la presente Resolución no se aplicarán al personal militar de las Fuerzas Armadas, ni al personal de las Fuerzas y Cuerpos de Seguridad del Estado; ni al personal de las entidades citadas en el apartado anterior destinado en instituciones y establecimientos penitenciarios o en instituciones y establecimientos sanitarios; ni al personal que preste servicios en centros docentes o de apoyo a la docencia.

Para estos colectivos, así como para aquellos otros en los que la naturaleza singular de su trabajo lo requiera, se aplicarán las regulaciones específicas que procedan, determinadas conforme a los mecanismos y ámbitos de negociación derivados del texto refundido de la Ley del Estatuto Básico del Empleado Público, aprobado por Real Decreto Legislativo 5/2015, de 30 de octubre, y que serán preceptivamente comunicadas a la Secretaría de Estado de Función Pública.

2. Normas sobre calendario laboral

2.1 El calendario laboral es el instrumento técnico a través del cual se realiza la distribución de la jornada y la fijación de los horarios, de acuerdo con lo establecido en esta Resolución y previa negociación con la representación de los empleados y empleadas públicos, en el marco de los ámbitos de negociación derivados del texto refundido de la Ley del Estatuto Básico del Empleado Público, del Convenio Único para el personal laboral al servicio de la Administración General del Estado o de otros convenios colectivos incluidos en el ámbito de esta instrucción.

En aquello no previsto en el correspondiente calendario laboral, o en defecto del mismo, serán de directa aplicación las presentes instrucciones.

2.2 Las personas titulares de las Subsecretarías, así como los órganos competentes en materia de recursos humanos de los demás organismos y entidades públicos, respetando lo establecido en las presentes normas y previa negociación sindical, aprobarán antes del día 28 de febrero de cada año los calendarios laborales correspondientes a sus respectivos ámbitos y con aplicación para todos los servicios y unidades bajo su dependencia orgánica.

2.3 Las personas titulares de las Delegaciones del Gobierno en las Comunidades Autónomas aprobarán, anualmente y antes de la fecha indicada, el calendario laboral aplicable a los servicios integrados en las Delegaciones y Subdelegaciones del Gobierno y a las unidades administrativas y servicios periféricos ubicados en dependencias comunes o edificios de servicios múltiples de todo su ámbito territorial, previa comunicación y audiencia a los correspondientes órganos de representación de los empleados y empleadas públicos.

Las personas titulares de las Subdelegaciones del Gobierno aprobarán la jornada de trabajo aplicable a los servicios periféricos de su correspondiente provincia con motivo de las festividades de dicho ámbito territorial, las cuales no podrán superar un máximo de cinco días anuales en la misma localidad. De dicha jornada de trabajo se informará a la Secretaría de Estado de Función Pública a través de la Dirección General de Gobernanza Pública para su conocimiento y seguimiento, dentro del mes siguiente a su aprobación.

Las funciones anteriormente asignadas a las personas titulares de las Delegaciones y Subdelegaciones de Gobierno serán ejercidas con respecto al personal de la Administración Militar por la persona titular de la Subsecretaría del Ministerio de Defensa.

2.4 El calendario laboral habrá de respetar, en todo caso:

a) La duración de la jornada general, establecida en 37 horas y media semanales, sin que pueda menoscabarse el cómputo anual de la misma con ocasión de la jornada intensiva de verano, de la jornada establecida con motivo de festividades o del disfrute de la bolsa de horas de libre disposición a la que alude el apartado 8.8 de esta Resolución.

b) El horario fijo de presencia.

c) El número de fiestas laborales, de carácter retribuido y no recuperable, que no podrán exceder de lo establecido por la normativa en vigor.

d) El horario de apertura y cierre de los edificios públicos establecidos por el órgano competente.

e) La acomodación del horario a las necesidades del servicio y a las funciones del centro.

2.5 Los calendarios laborales serán públicos a fin de asegurar su general conocimiento, tanto por parte de los empleados y empleadas públicos y de su representación legal y sindical, como de la ciudadanía interesada.

2.6 Los calendarios laborales serán remitidos a la Secretaría de Estado de Función Pública a través de la Dirección General de Gobernanza Pública para su conocimiento y seguimiento, dentro del mes siguiente a su aprobación.

3. Jornada general y horarios

3.1 La duración de la jornada general será de 37 horas y media semanales de trabajo efectivo de promedio en cómputo anual, equivalente a mil seiscientas cuarenta y dos horas anuales.

3.2 La distribución de la jornada semanal se realizará:

a) Jornada de mañana. El horario fijo de presencia en el puesto de trabajo será de 9:00 a 14:30 horas de lunes a viernes. El tiempo restante hasta completar la jornada semanal se realizará en horario flexible, entre las 7:00 y las 9:00 de lunes a viernes y entre las 14:30 y las 18:00 de lunes a jueves, así como entre las 14:30 y las 15:30 horas los viernes.

b) Jornada de mañana y tarde. El horario fijo de presencia en el puesto de trabajo será de 9:00 a 17:00 horas, de lunes a jueves, con una interrupción para la comida que no computará como trabajo efectivo y que será como mínimo de media hora, y de 9:00 a 14:30 los viernes, sin perjuicio del horario aplicable al personal destinado en oficinas de apertura ininterrumpida al público que cuenta con regulación especial. El resto de la jornada, hasta completar las treinta y siete horas y media o las cuarenta horas semanales, según el régimen de dedicación, se realizará en horario flexible entre las 7:00 y las 9:00 horas, de lunes a viernes, y entre las 17:00 y las 18:00 horas, de lunes a jueves, así como entre las 14:30 y las 15:30 horas los viernes.

c) Jornada de tarde. El horario fijo de presencia en el puesto de trabajo será de 15:00 a 20:30 horas, de lunes a viernes. El tiempo restante hasta completar la jornada semanal se realizará en horario flexible, entre las 13:00 y las 15:00 horas, así como entre las 20:30 y las 22:00 horas.

d) Los calendarios laborales podrán establecer otros límites horarios máximos y mínimos que permitan completar el número de horas adicionales necesarias para alcanzar la duración total de la jornada en todas sus modalidades. Asimismo, atendiendo a los horarios de apertura al público de determinadas oficinas y servicios públicos, podrán establecer otros límites horarios para la presencia obligada del personal.

3.3 Durante la jornada de trabajo se podrá disfrutar de una pausa por un periodo de 30 minutos, que se computará como trabajo efectivo. Esta interrupción no podrá afectar a la prestación de los servicios que preferentemente podrá efectuarse entre las 10:00 y las 12:30 horas, en el caso de las jornadas de mañana, mañana y tarde y especial dedicación; y entre las 16:30 y las 19:00 horas, en el caso de la jornada de tarde.

3.4 Las personas titulares de las Subsecretarías de los departamentos ministeriales y las personas responsables de los demás órganos competentes de las entidades señaladas en el punto 1 de esta Resolución podrán establecer otros horarios de apertura y de cierre de los edificios públicos, que tendrán la debida publicidad para general conocimiento.

4. Jornada en régimen de especial dedicación

La duración de la jornada del personal que desempeñe puestos de trabajo considerados de especial dedicación será de 40 horas semanales, sin perjuicio del aumento de horario que excepcionalmente sea preciso por necesidades del servicio.

Cada departamento ministerial y organismo o ente público determinará en función de la naturaleza y características del servicio aquellos puestos de trabajo que deban prestarse en régimen de especial dedicación.

5. Jornada reducida por interés particular

5.1 En aquellos casos en que resulte compatible con la naturaleza del puesto desempeñado y con las funciones del centro de trabajo, el personal que ocupe puestos de trabajo cuyo nivel de complemento de destino sea igual o inferior al 28 podrá solicitar al órgano competente el reconocimiento de una jornada reducida, ininterrumpida, de las 9:00 a las 14:00 horas, de lunes a viernes, percibiendo el 75 % de sus retribuciones.

5.2 No podrá reconocerse esta reducción de jornada al personal que desempeñe puestos de trabajo considerados de especial dedicación, salvo que se autorice el previo pase al régimen de dedicación ordinaria con la consiguiente exclusión, en su caso, del complemento de productividad que se percibiera por aquel régimen.

5.3 Esta modalidad de jornada reducida será incompatible con otras reducciones de jornada previstas en la normativa vigente, pero sí será compatible con las medidas de flexibilidad horaria que prevea la correspondiente normativa.

5.4 No se podrá conceder el pase a jornada ordinaria desde la jornada reducida por interés particular en periodos del año tales como vacaciones, festivos o jornadas especiales, salvo casos excepcionalmente valorados y justificados por los órganos competentes en materia de recursos humanos.

6. Jornadas y horarios especiales

6.1 De acuerdo con lo dispuesto en el artículo 30.8 de la Ley 39/2015, de 1 de octubre, del Procedimiento Administrativo Común de las Administraciones Públicas, en las oficinas de información y atención al público y en las de asistencia en materia de registros que se determinen en el calendario laboral correspondiente, el horario de apertura será ininterrumpido de 9:00 a 17:30 horas, de lunes a viernes, y de 9:00 a 14:00 horas los sábados, salvo que el calendario laboral, en atención a la naturaleza particular de los servicios prestados en cada ámbito, determine otros horarios. El personal que preste servicios en dichas oficinas deberá cumplir el horario establecido en el apartado 3.2, con las adaptaciones indispensables para la cobertura del servicio en la tarde de los viernes y en la mañana de los sábados.

6.2 Aquellas otras jornadas y horarios especiales que, excepcionalmente y por interés del servicio, deban realizarse en determinadas funciones o centros de trabajo, previa negociación con la representación de los empleados o empleadas públicos en el ámbito correspondiente, se someterán a la autorización de la Secretaría de Estado de Función Pública.

6.3 Las jornadas y horarios especiales actualmente existentes y autorizados se respetarán en las mismas condiciones en todo aquello que no contradiga la presente Resolución.

7. Jornada intensiva de verano

7.1 Durante el período comprendido entre el 16 de junio y el 15 de septiembre, ambos inclusive, se podrá establecer una jornada intensiva de trabajo, a razón de seis horas y media continuadas de trabajo, a desarrollar entre las 8:00 y las 15:00 horas, de lunes a viernes. En el caso de los empleados y empleadas que realicen jornada solo de tarde deberán realizar seis horas y media continuadas de trabajo, entre las 14:30 y las 21:30 horas, de lunes a viernes.

Por motivos de conciliación de la vida familiar y laboral, los empleados y empleadas públicos con descendientes o personas sujetas a su tutela o acogimiento de hasta 12 años de edad, siempre que convivan con el solicitante y dependan de este, estando a su cargo, podrán acogerse a esta modalidad de jornada intensiva desde el 1 de junio y hasta el 30 de septiembre. Este derecho podrá ejercerse también en el año en que el menor cumpla la edad de 12 años.

Igualmente, podrán acogerse a esta modalidad de jornada intensiva, desde el 1 de junio hasta el 30 de septiembre, los empleados y empleadas públicos que tengan a su cargo personas que tengan reconocida una discapacidad igual o superior al 33 %, siempre que convivan con el solicitante y dependan de este.

7.2 En las oficinas que adopten la modalidad de jornada continuada de mañana y tarde, la jornada intensiva de verano podrá desarrollarse entre las 8:00 y las 15:00 horas, de lunes a viernes.

7.3 Salvo que los calendarios laborales establezcan otras modalidades, el personal que preste servicios en régimen de especial dedicación, además del cumplimiento horario establecido en el punto 2 de este apartado, deberá realizar durante este período cinco horas adicionales a la semana, de las cuales un mínimo de dos horas y media se desarrollarán hasta las 18:00 horas, de lunes a jueves.

7.4 De acuerdo con lo dispuesto en el artículo 30.8 de la Ley 39/2015, de 1 de octubre, de Procedimiento Administrativo Común de las Administraciones Públicas, en las oficinas de información y atención al público y en las de asistencia en materia de registros reguladas en el apartado 6.1, la jornada intensiva de verano deberá asegurar la apertura al público en horario de 8:00 a 15:00 horas, de lunes a viernes, y de 9:00 a 14:00 horas, los sábados, salvo que el calendario laboral, en atención a la naturaleza particular de los servicios prestados en cada ámbito, determine otros horarios.

7.5 La adaptación horaria producida con ocasión de la jornada de verano se recuperará en la forma que establezca el correspondiente calendario laboral, respetando en todo caso la duración de la jornada en cómputo anual.

8. Medidas para la conciliación de la vida familiar y laboral

Se podrán adoptar medidas para la conciliación de la vida familiar y laboral, en el marco de las necesidades del servicio, en los siguientes supuestos:

8.1 Los empleados o empleadas públicos que tengan a su cargo personas mayores, hijos o hijas menores de 12 años, personas sujetas a tutela o acogimiento menores de 12 años o personas con discapacidad, así como quien tenga a su cargo directo a familiares con enfermedad grave hasta el segundo grado de consanguinidad o afinidad, tendrán derecho a flexibilizar en una hora diaria el horario fijo de jornada que tengan establecido. Este derecho podrá ejercerse también en el año en que el menor cumpla la edad de 12 años.

8.2 Los empleados o empleadas públicos que tengan a su cargo personas con discapacidad hasta el primer grado de consanguinidad o afinidad, podrán disponer de dos horas de flexibilidad horaria diaria sobre el horario fijo que corresponda, a fin de conciliar los horarios de los centros educativos ordinarios de integración y de educación especial, de los centros de habilitación y rehabilitación, de los servicios sociales y centros ocupacionales, así como otros centros específicos donde la persona con discapacidad reciba atención, con los horarios de los propios puestos de trabajo.

8.3 Cuando las medidas de flexibilidad horaria reconocidas en los dos apartados anteriores, se refieran a descendientes o personas sujetas a tutela o acogimiento menores de 12 años, si hubiera más de un titular de este derecho por el mismo sujeto causante, se podrá instar su ejercicio simultáneo. No obstante, en el supuesto de que ambos progenitores presten servicios en el mismo órgano o entidad, se podrá limitar su ejercicio simultáneo por razones fundadas en el correcto funcionamiento del servicio.

8.4 Excepcionalmente, los órganos competentes en materia de recursos humanos podrán autorizar, con carácter personal y temporal, la modificación del horario fijo en un máximo de dos horas por motivos directamente relacionados con la conciliación de la vida personal, familiar y laboral, y en los casos de familias monoparentales.

8.5 Los empleados o empleadas públicos tendrán derecho a ausentarse del trabajo para someterse a técnicas de fecundación o reproducción asistida por el tiempo necesario para su realización y previa justificación de la necesidad de su realización dentro de la jornada de trabajo.

8.6 Los empleados o empleadas públicos que tengan hijos o hijas con discapacidad tendrán derecho a ausentarse del trabajo por el tiempo indispensable para asistir a reuniones de coordinación de su centro educativo, ordinario de integración o de educación especial, donde reciba atención, tratamiento o para acompañarlo si ha de recibir apoyo adicional en el ámbito sanitario o social.

8.7 Los empleados o empleadas públicos que se reincorporen al servicio efectivo a la finalización de un tratamiento de radioterapia o quimioterapia, podrán solicitar una adaptación progresiva de su jornada de trabajo ordinaria. La Administración podrá conceder esta adaptación cuando la misma coadyuve a la plena recuperación funcional de la persona o evite situaciones de especial dificultad o penosidad en el desempeño de su trabajo. Esta adaptación podrá extenderse hasta un mes desde el alta médica y podrá afectar hasta un 25 % de la duración de la jornada diaria, preferentemente en la parte flexible de la misma, considerándose como tiempo de trabajo efectivo. La solicitud irá acompañada de la documentación que aporte la persona interesada para acreditar la existencia de esta situación, y la Administración deberá resolver sobre la misma en un plazo de tres días, sin perjuicio de que, para comprobar la procedencia de esta adaptación, la Administración podrá recabar los informes del Servicio de Prevención de Riesgos Laborales o de cualesquiera otros órganos que considere oportuno sobre el tratamiento recibido o las actividades de rehabilitación que le hayan sido prescritas.

El plazo al que se refiere el párrafo anterior podrá ampliarse en un mes más cuando el empleado o la empleada público justifique la persistencia en su estado de salud de las circunstancias derivadas del tratamiento de radioterapia o quimioterapia.

Con carácter excepcional, y en los mismos términos indicados, esta adaptación de jornada podrá solicitarse en procesos de recuperación de otros tratamientos de especial gravedad, debiendo en este supuesto analizarse las circunstancias concurrentes en cada caso.

8.8 Los empleados o empleadas públicos podrán disponer de una bolsa de horas de hasta un 5 % de la jornada anual de cada empleado o empleada, para los casos de cuidado de hijos o hijas menores de edad y menores sujetos a tutela o acogimiento; y para la atención de personas mayores y personas con discapacidad hasta el primer grado de consanguinidad o afinidad.

La utilización de las horas tendrá carácter recuperable en un plazo máximo de 3 meses a contar desde el día siguiente a aquel en que se haga uso de la bolsa de horas, debiendo cumplir con el total de la jornada anual correspondiente.

Las horas recuperadas no se volverán a incorporar en ningún caso al saldo de horas por utilizar de la bolsa total de horas de que se dispone durante ese año natural.

Para la justificación del uso de la bolsa de horas será necesaria, en todo caso, una declaración responsable de los empleados o empleadas públicos.

Las horas podrán acumularse en jornadas completas siempre que exista una razón justificada para ello, considerando las peculiaridades de la prestación del servicio público.

Los calendarios laborales podrán establecer los límites y condiciones de acumulación de estas horas sin alcanzar jornadas completas siempre que sea compatible con la organización del trabajo, así como las adaptaciones que pudieran ser necesarias para las peculiaridades de determinados ámbitos o colectivos.

9. Vacaciones y permisos

9.1 Cada año natural las vacaciones retribuidas tendrán una duración de veintidós días hábiles anuales por año completo de servicios, o de los días que correspondan proporcionalmente si el tiempo de servicio durante el año fue menor. A estos efectos los sábados se considerarán inhábiles, sin perjuicio de las adaptaciones que se establezcan para los horarios especiales.

Para el cálculo del período anual de vacaciones, las ausencias motivadas por enfermedad o accidente, así como las derivadas del disfrute de los permisos regulados en los artículos 48 y 49 del texto refundido de la Ley del Estatuto Básico del Empleado Público, o de la licencia a que se refiere el artículo 72 del texto articulado de la Ley de Funcionarios Civiles del Estado, aprobado por el Decreto 315/1964, de 7 de febrero, tendrán, en todo caso y a estos efectos, la consideración de tiempo de servicio.

En el supuesto de haber completado los años de antigüedad en la Administración que se indican a continuación, se tendrá derecho al disfrute de los siguientes días de vacaciones anuales:

- Quince años de servicio: Veintitrés días hábiles.
- Veinte años de servicio: Veinticuatro días hábiles.
- Veinticinco años de servicio: Veinticinco días hábiles.
- Treinta o más años de servicio: Veintiséis días hábiles.

Dichos días se podrán disfrutar desde el día siguiente al de cumplimiento de los correspondientes años de servicio.

9.2 En ningún caso, la distribución anual de la jornada puede alterar el número de días de vacaciones o de fiestas laborales de carácter retribuido y no recuperable.

9.3 Las vacaciones se disfrutarán, previa autorización y siempre que resulte compatible con las necesidades del servicio, dentro del año natural y hasta el 31 de enero del año siguiente, en periodos mínimos de cinco días hábiles consecutivos.

Sin perjuicio de lo anterior, y siempre que las necesidades del servicio lo permitan, de los días de vacaciones previstos en el apartado 9.1 de esta Resolución, se podrá solicitar el disfrute independiente de hasta cinco días hábiles por año natural.

9.4 Al menos, la mitad de la totalidad de los días de vacaciones anuales deberán ser disfrutadas entre los días 16 de junio y 15 de septiembre, salvo que el calendario laboral, en atención a la naturaleza particular de los servicios prestados en cada ámbito, determine otros períodos.

9.5 Cuando el disfrute de los permisos de maternidad, paternidad y lactancia acumulada, o las situaciones de incapacidad temporal, riesgo durante la lactancia o riesgo durante el embarazo impidan iniciar el disfrute de las vacaciones dentro del año natural al que correspondan, o una vez iniciado el periodo vacacional sobreviniera una de dichas situaciones, el periodo vacacional se podrá disfrutar aunque haya terminado el año natural a que correspondan y siempre que no hayan transcurrido más de dieciocho meses a partir del final del año en que se hayan originado.

El periodo de vacaciones, una vez iniciado su disfrute, no se verá interrumpido si durante el mismo sobreviene algún permiso o licencia diferente de los enumerados en el párrafo anterior.

9.6 Cuando se prevea el cierre de las instalaciones debido a la inactividad estacional de determinados servicios públicos, los períodos de disfrute de las vacaciones coincidirán en la franja temporal de cierre.

9.7 A lo largo de cada año los empleados o empleadas públicos tendrán derecho a disfrutar de seis días de permiso por asuntos particulares, sin perjuicio de la concesión de los restantes permisos y licencias establecidos en la normativa vigente.

Asimismo, los empleados o empleadas públicos tendrán derecho a disfrutar de dos días adicionales de permiso por asuntos particulares desde el día siguiente al del cumplimiento del sexto trienio, incrementándose, como máximo, en un día adicional por cada trienio cumplido a partir del octavo.

Los días de permiso por asuntos particulares no podrán acumularse a los períodos de vacaciones anuales. El personal podrá distribuir dichos días a su conveniencia, previa autorización de sus superiores y respetando siempre las necesidades del servicio. Cuando por estas razones no sea posible disfrutar del mencionado permiso antes de finalizar el mes de diciembre, podrá concederse hasta el 31 de enero siguiente.

Sin perjuicio de lo anterior, y siempre que las necesidades del servicio lo permitan, los días de permiso por asuntos particulares así como, en su caso, los días de permiso previstos en el apartado siguiente, podrán acumularse a los días de vacaciones que se disfruten de forma independiente.

9.8 Los días 24 y 31 de diciembre permanecerán cerradas las oficinas públicas, a excepción de los servicios de información, registro general y todos aquellos contemplados en el apartado 1.2 de esta Resolución.

Los calendarios laborales incorporarán dos días de permiso, de similar naturaleza a los días por asuntos particulares, cuando los días 24 y 31 de diciembre coincidan en festivo, sábado o día no laborable.

Asimismo, los calendarios laborales incorporarán cada año natural, y como máximo, un día de permiso cuando alguna o algunas festividades laborales de ámbito nacional de carácter retribuido, no recuperable y no sustituible por las Comunidades Autónomas, coincidan con sábado en dicho año. Por resolución de la Secretaría de Estado de Función

Pública y con anterioridad al día 31 de enero de cada año se determinará, cuando proceda, la incorporación de los días de permiso a que se refiere este apartado y se establecerán las instrucciones que, en esta materia, deben respetar los citados calendarios laborales.

9.9 Los empleados o empleadas públicos que se presenten a procesos electorales, así como los que sean nombrados Presidentes, Presidentas o Vocales en las mesas electorales, tendrán derecho a los permisos previstos en las normas y resoluciones correspondientes en los términos que allí se prevean.

9.10 Los órganos competentes para la concesión de vacaciones y permisos procurarán que los empleados o empleadas públicos con hijos o hijas menores de 12 años tengan preferencia para la elección del disfrute tanto de las vacaciones, como del permiso por asuntos particulares, durante los períodos no lectivos de los hijos o hijas.

10. Tiempo para la formación

10.1 El tiempo destinado a la realización de cursos de formación dirigidos a la capacitación profesional o a la adaptación a las exigencias de los puestos de trabajo, programados por los diferentes promotores previstos en los correspondientes Acuerdos de Formación para el empleo, así como los organizados por los distintos órganos de la Administración General del Estado, se considerará tiempo de trabajo a todos los efectos, cuando los cursos se celebren dentro del horario de trabajo y así lo permitan las necesidades del servicio. El periodo de tiempo de asistencia a estos cursos de formación será computado a efectos del permiso retribuido de formación previsto para el personal laboral en el artículo 23.3 del texto refundido de la Ley del Estatuto de los Trabajadores, aprobado por Real Decreto Legislativo 2/2015, de 23 de octubre.

La Administración podrá determinar la asistencia obligatoria a aquellas actividades formativas necesarias para el buen desempeño de las tareas propias del puesto de trabajo, en cuyo caso su duración se considerará como tiempo de trabajo a todos los efectos.

10.2 Para facilitar la formación y el desarrollo profesional se concederán permisos en los siguientes supuestos:

a) Permiso retribuido, por el tiempo indispensable y suficiente, para concurrir a exámenes finales y demás pruebas definitivas de aptitud para la obtención de un título académico o profesional reconocido durante los días de su celebración.

b) Permiso, percibiendo sólo retribuciones básicas, con un límite máximo de cuarenta horas al año, para la asistencia a cursos de perfeccionamiento profesional distintos a los contemplados en el número 1 de este apartado y cuyo contenido esté directamente relacionado con el puesto de trabajo o la carrera profesional-administrativa, previo informe favorable del superior jerárquico.

c) Permiso no retribuido, de una duración máxima de tres meses al año, para la asistencia a otros cursos de perfeccionamiento profesional, siempre que la gestión del servicio y la organización del trabajo lo permitan, previo informe favorable del superior jerárquico.

Los períodos de disfrute de los permisos a que se refieren las letras b) y c) anteriores no podrán acumularse a otros tipos de permisos y licencias.

11. Justificación de ausencias

11.1 Los empleados o empleadas públicos deberán registrar en el sistema de control horario de su centro de trabajo todas las entradas y salidas correspondientes a su modalidad de jornada.

11.2 Igualmente, las ausencias, las faltas de puntualidad y de permanencia del personal en su puesto de trabajo, cualquiera que sea su causa, deberán ser registradas por los empleados o empleadas públicos que incurran en ellas en el sistema de control horario que debe existir en cada centro.

Estas ausencias requerirán el aviso inmediato a la persona responsable de la unidad correspondiente y su ulterior justificación acreditativa. Dicha justificación se trasladará, de forma inmediata, al órgano competente en materia de recursos humanos.

11.3 En los supuestos de ausencia parcial al puesto de trabajo como consecuencia de la asistencia a consulta, prueba o tratamiento médicos, dicho periodo de tiempo se considerará como de trabajo efectivo siempre que la ausencia se limite al tiempo necesario y se justifique documentalmente su asistencia y la hora de la cita.

11.4 En los casos de ausencia durante la totalidad de la jornada diaria por causa de enfermedad o accidente sin que se haya expedido parte médico de baja, deberá darse aviso de esta circunstancia al superior jerárquico de manera inmediata y comportará, en su caso, la reducción de retribuciones prevista en la regulación aplicable a las ausencias al trabajo por causa de enfermedad o accidente que no dé lugar a una situación de incapacidad temporal.

En todo caso, una vez reincorporado el empleado o empleada a su puesto, deberá justificar de manera inmediata la concurrencia de la causa de enfermedad.

11.5 En el supuesto de incapacidad temporal, riesgo durante el embarazo y riesgo durante la lactancia natural, el parte médico acreditativo de la baja deberá remitirse al órgano competente en materia de recursos humanos, no más tarde del cuarto día desde que se haya iniciado esta situación. El mencionado parte deberá acreditar la ausencia de cada una de las fechas en que la situación de incapacidad temporal, riesgo durante el embarazo y riesgo durante la lactancia natural se haya producido, cualquiera que sea su duración.

11.6 Los sucesivos partes médicos de confirmación de la baja inicial, así como los informes médicos de ratificación, deberán presentarse al órgano competente en materia de recursos humanos correspondiente, como máximo al tercer día hábil siguiente a su expedición.

11.7 Una vez expedido parte médico de alta, la incorporación al puesto de trabajo ha de ser el primer día hábil siguiente a su expedición, aportando en ese momento el citado parte al órgano competente en materia de recursos humanos.

11.8 En caso de incumplirse la obligación de presentación de los justificantes de ausencia previstos en este epígrafe o del parte médico de baja en los términos y plazos establecidos en el régimen de Seguridad Social aplicable, se estará a lo dispuesto en el apartado 12.2 de esta Resolución, relativo a las ausencias injustificadas, y en virtud del cual se procederá a aplicar la correspondiente deducción proporcional de haberes.

12. Control y seguimiento de la jornada y horario de trabajo

12.1 Los responsables de las unidades administrativas exigirán la justificación oportuna de todas las ausencias y no autorizarán dentro de la jornada laboral aquellas ausencias para asuntos que puedan realizarse fuera de la jornada de trabajo, salvo las que correspondan al cumplimiento de un deber inexcusable. En el resto de los casos, aún debidamente justificados, y sin perjuicio de lo establecido en el apartado 8.8 de la presente Resolución, el tiempo de ausencia será recuperado dentro de las franjas de horario flexible durante la misma semana en que la ausencia se produzca o, como máximo, en la semana siguiente.

12.2 La parte de jornada no realizada sin causa justificada dará lugar a la deducción proporcional de haberes, dentro de los 3 meses siguientes a la ausencia, de acuerdo con lo establecido en el artículo 36 de la Ley 31/1991, de 30 de diciembre, modificado por el artículo 102.2 de la Ley 13/1996, de 30 de diciembre, sin perjuicio de las medidas disciplinarias que pudieran, además, en su caso adoptarse.

12.3 Las personas titulares de las Subsecretarías de los Departamentos ministeriales, a través de las Inspecciones de Servicios departamentales, así como los demás órganos competentes de las entidades señaladas en el apartado 1 de esta Resolución, promoverán programas de cumplimiento de la jornada de trabajo debida y de control del absentismo, adoptando las medidas necesarias para la corrección de incumplimientos e infracciones.

Asimismo, deberán remitir trimestralmente a la Secretaría de Estado de Función Pública información sistemática sobre el cumplimiento de jornadas y horarios de trabajo y sobre los niveles de absentismo, de acuerdo con los criterios que se determinen por la Comisión Coordinadora de las Inspecciones Generales de Servicios de los Departamentos ministeriales y con el procedimiento que establezca la Dirección General de Gobernanza Pública.

12.4 Por su parte, las Inspecciones de Servicios u otros órganos de control, realizarán mensualmente seguimiento tanto de las ausencias no justificadas como de la realización de las correspondientes deducciones proporcionales de haberes.

13. Necesidades del servicio

Las necesidades del servicio deberán ser sometidas a los criterios de oportunidad y proporcionalidad, y su aplicación se hará siempre de forma justificada y motivada.

14. Cómputo de permisos

14.1 El régimen de funcionamiento de los centros de trabajo de la Administración General del Estado y de sus Organismos Públicos, vinculados o dependientes, la organización del tiempo de trabajo, y la jornada y horarios del personal a su servicio, se regirán por su regulación específica sin que resulten de aplicación, a estos efectos, las previsiones sobre días hábiles o inhábiles para el cómputo de plazos en los procedimientos administrativos contenidas en la Ley 39/2015, de 1 de octubre.

La consideración de día hábil o inhábil a los efectos del cumplimiento de las distintas jornadas y horarios en la Administración General del Estado y en sus Organismos Públicos, vinculados o dependientes, estará determinada por su propia regulación, contenida en la presente Resolución, así como en los calendarios laborales u otros instrumentos que en desarrollo y aplicación de aquella se aprueben.

14.2 Para el cómputo de los permisos cuya duración esté establecida en días hábiles, se atenderá al régimen de jornada y horario que corresponda al titular del permiso.

En este sentido, los sábados, los domingos o los días declarados festivos, computarán únicamente cuando los mismos formen parte de la jornada y horario que corresponda realizar al titular del permiso.

14.3 Para el disfrute de los permisos cuya duración esté fijada en días, cuando la norma que los regule no señale que son hábiles, se entenderá que son días naturales, incluyéndose en su cómputo tanto los días hábiles como los días inhábiles.

En los permisos cuya duración esté fijada en semanas o meses, se entenderá que son días naturales, incluyéndose en su cómputo tanto los días hábiles como los días inhábiles.

15. Aplicación

Esta Resolución resultará de aplicación a partir del día 1 de marzo de 2019.

16. Pérdida de efectos

A partir de la entrada en vigor de esta Resolución, queda sin efecto la Resolución de 28 de diciembre de 2012, de la Secretaría de Estado de Administraciones Públicas, por la que se dictan instrucciones sobre jornada y horarios de trabajo del personal al servicio de la Administración General del Estado y sus organismos públicos, así como aquellas resoluciones que con posterioridad modificaron la misma así como aquellas otras normas de igual o inferior rango que contradigan lo establecido en esta Resolución.

Los calendarios laborales aprobados con anterioridad continuarán siendo de aplicación en cuanto no se oponga a lo establecido en esta Resolución.

6. RESOLUCIÓN DE 29 DE MARZO DE 2019, DE LA SECRETARÍA DE ESTADO DE LA FUNCIÓN PÚBLICA, POR LA QUE SE DICTAN LAS REGLAS APLICABLES PARA LA CONCESIÓN DE TRASLADOS A LOS FUNCIONARIOS Y FUNCIONARIAS DE CARRERA DE LA ADMINISTRACIÓN GENERAL DEL ESTADO POR RAZONES DE DISCAPACIDAD SOBREVENIDA O DE AGRAVACIÓN DEL GRADO DE DISCAPACIDAD, ASÍ COMO POR MOTIVOS DE SALUD Y POSIBILIDADES DE REHABILITACIÓN DE LOS FUNCIONARIOS Y FUNCIONARIAS DE CARRERA, SUS CÓNYUGES O LOS HIJOS E HIJAS A SU CARGO

(BOE núm. 81, 4 de abril de 2019)

La Ley 30/1984, de 2 de agosto, de Medidas para la Reforma de la Función Pública, incorporó en el artículo 20.1.h), añadido por la Ley 53/2002, de 30 de diciembre, de Medidas Fiscales, Administrativas y del Orden Social, una nueva figura dentro de la regulación de los sistemas de provisión de puestos de trabajo, para facilitar la movilidad voluntaria por razones de salud o rehabilitación de los funcionarios y funcionarias públicos y sus familiares.

En dicho artículo se establece la posibilidad de que la Administración General del Estado adscriba al personal funcionario a puestos de trabajo en distinta unidad o localidad, previa solicitud basada en motivos de salud o rehabilitación de éstos, su cónyuge o los hijos e hijas a su cargo, con informe previo del servicio médico oficial legalmente establecido y condicionado a que existan puestos vacantes con asignación presupuestaria, cuyo nivel de complemento de destino y específico no sea superior al del puesto de origen, y se reúnan los requisitos para su desempeño. Dicha adscripción tendrá carácter definitivo cuando el funcionario o funcionaria ocupara con tal carácter su puesto de origen.

Para regular la aplicación de esta previsión se dictó en su día la Resolución de la Secretaría de Estado para la Administración Pública por la que se dictan las reglas aplicables para la concesión de traslados a los Funcionarios de la Administración General del Estado, por razones de Salud y posibilidad de rehabilitación de los funcionarios, sus cónyuges o los hijos a su cargo, de 28 de enero de 2004.

La citada Resolución regula un procedimiento de movilidad que viene basado en motivos de salud, siendo, por tanto, ajeno a los principios de igualdad, mérito, capacidad y publicidad que rigen el procedimiento ordinario de provisión de puestos, lo que convierte este tipo de movilidad en un procedimiento de carácter extraordinario.

Esta Secretaría de Estado considera necesario que, manteniendo el carácter extraordinario de esta figura de movilidad, se dé un paso más en el desarrollo de la misma, facilitando la movilidad del personal funcionario en aquellos casos en los que por el reconocimiento de una discapacidad igual o superior al 33% o un incremento en el grado de discapacidad que ya se tenía reconocido, sea necesario un cambio de puesto de trabajo a distinta unidad o localidad. El reconocimiento o incremento del grado de discapacidad que permite hacer uso de esta figura de movilidad ha de haberse producido con posterioridad a la incorporación al puesto que vienen ocupando.

La experiencia acumulada ha puesto de relieve ciertas dificultades en la aplicación de dicha Resolución, por lo que se hace necesario matizar que este tipo de traslado tiene la finalidad de facilitar la movilidad de los empleados públicos en aquellos casos en que el desempeño de las funciones concretas de su puesto de trabajo o las condiciones geofísicas y medioambientales de la localidad en la que éste se ubica, estén perjudicando seriamente la salud de la persona solicitante.

Igualmente tiene la finalidad de facilitar la movilidad en aquellos casos en que siendo necesaria una concreta rehabilitación, no exista en el régimen de Seguridad Social que corresponda en cada caso, un centro de rehabilitación adecuado en el ámbito geográfico en que se desempeña el puesto.

Por otra parte, se trata igualmente de facilitar la movilidad del personal funcionario de carrera en los casos en que los motivos de salud o rehabilitación concurren en su cónyuge o hijos e hijas a su cargo, por lo que en estos casos, es necesario que el familiar en el que se basa la solicitud, conviva con la persona solicitante en la misma localidad en la que éste desempeña su puesto de trabajo, dado que no es la finalidad de este procedimiento concreto, el traslado de la persona solicitante a la localidad en la que residen sus familiares, sino trasladar, en su caso, a la persona solicitante junto con su familia, cuando uno de sus miembros tenga esta necesidad, por motivos de salud o rehabilitación. La conciliación de la vida personal, laboral y familiar, es una necesidad que ya se contempla en los procedimientos normales de provisión mediante la valoración de estos méritos en los concursos de provisión de puestos.

Igualmente, cuando resulte necesario un cambio de localidad para la mejora de la salud del funcionario o funcionaria, su cónyuge o hijos e hijas a su cargo, la localidad del nuevo destino habrá de conjugar tanto la necesidad de mejora de la salud como las necesidades de la Administración. No correspondiendo a la persona solicitante la elección de una localidad concreta, sino que la localidad será aquella que cumpla con los requisitos geofísicos o medioambientales que en el informe médico oficial aportado se indique que permitan la mejora de la salud perseguida.

En cumplimiento de lo dispuesto en el I Acuerdo de movilidad del personal funcionario al servicio de la Administración General del Estado, de conformidad con todo lo expresado y previo informe favorable de la Comisión Superior de Personal, la Secretaría de Estado de Función

Pública, en el ámbito de sus competencias en materia de provisión de puestos de trabajo y movilidad profesional atribuidas por el Real Decreto 863/2018, de 13 de julio, dicta las siguientes instrucciones, que vienen a sustituir a la Resolución de la Secretaría de Estado de Administraciones Públicas de 28 de enero de 2004.

1. Ámbito de aplicación

El contenido de esta Resolución será de aplicación al personal funcionario de carrera de la Administración General del Estado y de los Organismos Públicos dependientes o vinculados a la Administración General del Estado.

La movilidad por razones de salud y rehabilitación de los funcionarios y funcionarias destinados en el exterior se regirá por las reglas que se dicten al efecto.

Las reglas contenidas en la presente Resolución no serán de aplicación al personal dependiente de la Secretaría General de Instituciones Penitenciarias y de la entidad estatal Trabajo Penitenciario y Formación para el Empleo. La citada Secretaría General, previa autorización de la Secretaría de Estado de Función Pública, dictará las reglas aplicables en dicho ámbito.

Los Departamentos que tengan adscritos Cuerpos que desarrollen funciones de naturaleza singular podrán dictar reglas específicas sobre la movilidad por razones de salud y rehabilitación del personal funcionario, sus cónyuges o hijos e hijas a su cargo, previo informe favorable de la Secretaría de Estado de Función Pública.

2. Iniciación del procedimiento

2.1 Contenido de la solicitud y órgano al que se dirige.

El procedimiento se iniciará a solicitud de la persona interesada, para lo que podrá utilizar el modelo de solicitud anejo a esta resolución.

El funcionario o funcionaria de carrera que por razones basadas en una discapacidad sobrevenida o agravada con posterioridad a su incorporación al puesto de trabajo que ocupa, o por razones de salud o rehabilitación, ya sea propia, de su cónyuge, o de cualquiera de los hijos o de las hijas a su cargo, desee obtener el traslado a un puesto de trabajo en distinta unidad administrativa o en otra localidad, deberá dirigir solicitud por escrito a la Unidad que ostente las competencias en materia de personal del Ministerio, Delegación del Gobierno u Organismo en el que se encuentre destinado, ya sea con carácter definitivo o provisional.

La solicitud expondrá los motivos que justifican la necesidad de traslado a juicio de la persona solicitante. En todos los casos, las circunstancias que pueden justificar una petición de traslado por motivos de salud, rehabilitación o discapacidad sobrevenida o agravada, han de referirse a aspectos médicos de especial consideración o gravedad.

Esta solicitud deberá ir acompañada de la siguiente documentación justificativa de la necesidad de traslado:

– Original o copia autenticada del Certificado Médico Oficial del Colegio de Médicos de España. Este Certificado deberá ser emitido en la localidad en la que se encuentre el puesto de destino de la persona solicitante, salvo en el caso de funcionarios afiliados a la MUFACE, cuando se trate de una localidad en la que no exista médico de la sociedad médica a la que se encuentren adscritos, en cuyo caso será válido el certificado emitido por el médico de la localidad más cercana, siendo este certificado oficial el único certificado médico válido, de acuerdo con lo establecido por el Consejo General de Colegios Oficiales de Médicos de España.

En aquellos casos en los que el funcionario o funcionaria demande un cambio de localidad, el certificado deberá señalar, además del estado de salud de la persona en la que se basa la petición de movilidad, las condiciones geofísicas y medioambientales que necesita para su mejora o recuperación. No procederán, ni serán tenidas en cuenta a estos efectos, las posibles meras recomendaciones o consejos relativos a la procedencia de traslado a una localidad o provincia concretas, cuestión esta que será objeto de análisis por el órgano gestor a la vista de dicho informe. La localidad de destino a través de esta figura de traslado será, en consecuencia, aquella que cumpla con los requisitos señalados en el certificado médico correspondiente.

Cuando la conveniencia del cambio de puesto de trabajo o de localidad esté basada en la posibilidad de rehabilitación del funcionario o funcionaria, su cónyuge o cualquiera de los hijos o hijas a su cargo, el certificado médico manifestará el tipo de rehabilitación que precisa.

Se deberá aportar igualmente un certificado emitido por el Instituto Nacional de la Seguridad Social, como entidad gestora del Régimen General de la Seguridad Social, o por la Mutualidad de Funcionarios Civiles del Estado (MUFACE), en función del régimen de Seguridad Social que corresponda a la persona solicitante, en el que se indique con claridad la inexistencia de un centro adecuado en el que se pueda realizar la rehabilitación prescrita, en la localidad o localidades limítrofes ubicadas en un radio inferior a 40 kilómetros de distancia o en la misma isla, de aquella en que se encuentra destinada la persona solicitante. Deberá incluirse además un listado de centros existentes en todo el territorio nacional, en los que se puede realizar la rehabilitación que sea necesaria.

– Resolución de reconocimiento del grado de discapacidad igual o superior al 33% o agravamiento de éste: en el caso de que la solicitud de traslado se base en la discapacidad del funcionario o funcionaria, deberá indicarse si ésta ha sido sobrevenida a la incorporación al puesto que ocupa.

– Informe del Servicio de Prevención de Riesgos Laborales: en el caso de que la solicitud de traslado sea por daños derivados del trabajo o de las condiciones de trabajo, además del Certificado Médico Oficial se deberá incluir un informe del Servicio de Prevención de Riesgos Laborales de la unidad de la que dependa la persona solicitante, en el cual se indique que la adaptación de las condiciones y del tiempo de trabajo resultan imposibles o, que a pesar de la adaptación realizada, las condiciones del puesto de trabajo pueden seguir influyendo negativamente en la salud de la persona solicitante y no siendo por tanto apta para el desempeño de las funciones del puesto de trabajo que ocupa. Asimismo, en este informe deberán indicarse, en su caso, aquellas funciones del puesto de trabajo que no pueden ser realizadas por la persona solicitante a causa de su estado de salud.

– Cuando la conveniencia del cambio del puesto de trabajo o de localidad esté basada en el estado de salud del cónyuge o de cualquiera de los hijos o de las hijas a su cargo, se deberá aportar además del Certificado Médico Oficial, la siguiente documentación:

• Fotocopia compulsada del Libro de Familia o de la resolución administrativa o judicial de la adopción, guarda con fines de adopción o acogimiento, tanto temporal como permanente, en el caso de que la solicitud de traslado se base en el estado de salud de un hijo o de una hija a cargo de la persona solicitante.

• En el caso de separación matrimonial, se deberá aportar documentación acreditativa de que el hijo o la hija en el que se motiva la solicitud de traslado, se encuentra legalmente bajo la custodia de la persona solicitante o en régimen de custodia compartida.

• Certificado de inscripción del matrimonio en el Registro Civil, cuando la solicitud se base en el estado de salud del cónyuge.

• En el caso de que la solicitud de traslado por motivos de salud se base en el estado de salud del cónyuge o de los hijos o hijas a cargo y se esté solicitando un cambio de localidad, será necesario que el Órgano que inicie el procedimiento recabe el certificado de empadronamiento mediante consulta informatizada si la persona solicitante ha dado su autorización para ello. De no haberlo hecho, este certificado deberá ser aportado por la persona solicitante. Cuando el hijo o la hija se encuentre en edad de escolarización obligatoria, y la solicitud se base en su estado de salud, será necesaria también la aportación de un certificado de escolarización del centro en el que curse sus estudios. En este certificado se deberá indicar la localidad en la que se encuentra ubicado el centro.

2.2 Subsanación, mejora de la solicitud y acciones previas a su admisión a trámite.

Si la solicitud no reuniera los requisitos justificativos establecidos en el artículo 66 de la Ley 39/2015, de 1 de octubre, del Procedimiento Administrativo Común de las Administraciones Públicas, así como los exigidos en el apartado anterior de esta Resolución, se requerirá al interesado para que, en un plazo de 10 días, subsane la falta o acompañe los documentos preceptivos, con indicación de que si así no lo hiciera se le tendrá por desistido de su solicitud, previa Resolución del Órgano competente para ello.

En aquellos casos en que el funcionario o funcionaria de carrera solicitante se encuentre ocupando puesto en comisión de servicios, si la solicitud de traslado por motivos de salud se basara en el perjuicio que sobre la salud del interesado ocasiona el desempeño del puesto que efectivamente ocupa, deberá reincorporarse a su puesto de reserva. En estos casos se dará por finalizado el expediente de traslado por motivos de salud con la revocación de la comisión de servicios.

Si el traslado requiriera un cambio de localidad, el informe médico habrá de indicar expresamente que tanto la localidad en la que se encuentra ocupando el puesto con carácter provisional como aquella en la que se encuentra su puesto definitivo, si fuera distinta de la anterior, resultan perjudiciales para la salud de la persona solicitante, su cónyuge o los hijos o las hijas a su cargo, en los términos que se han señalado con anterioridad.

Cuando la solicitud de traslado se base en la incidencia negativa del puesto de trabajo en el estado de salud del funcionario o de la funcionaria, y la persona solicitante se encuentre en situación de incapacidad temporal, el órgano competente para iniciar la tramitación del procedimiento valorará el informe emitido por el Servicio de Prevención de Riesgos Laborales del que dependa la persona solicitante requerido en el apartado 2.1, al efecto de poder adoptar una resolución sobre el fondo del asunto.

Apartado 2.2 redactado por la Resolución de 18 de junio de 2025, de la Secretaría de Estado de Función Pública, por la que se modifica la de 29 de marzo de 2019, por la que se dictan las reglas aplicables a la concesión de traslados a los funcionarios y funcionarias de carrera de la Administración General del Estado por razones de discapacidad sobrevenida o de agravación del grado de discapacidad, así como por motivos de salud y posibilidades de rehabilitación de los funcionarios y funcionarias de carrera, sus cónyuges o los hijos e hijas a su cargo (BOE núm. 156, 30 de junio de 2025).

3. Tramitación

Una vez comprobada la concurrencia de las circunstancias previstas para este tipo de movilidad, el órgano competente dará inicio a la tramitación del procedimiento e informará al interesado de la admisión a trámite de su solicitud y el inicio de la tramitación del procedimiento.

En la tramitación de procedimiento se protegerá la intimidad de las personas solicitantes y, en especial, se respetará la obligada confidencialidad de los documentos aportados al procedimiento que contengan información de carácter médico.

3.1 Identificación de puesto de trabajo de personal funcionario.

Una vez admitida a trámite la solicitud, se iniciarán las actuaciones conducentes a la identificación de un puesto de trabajo vacante, dotado presupuestariamente y de necesaria cobertura, que pueda ofertarse al interesado. Los complementos de destino y específico de dicho puesto no podrán ser superiores a los del puesto de origen, siendo el puesto de referencia el que tenga con carácter definitivo o, en su defecto, el que ocupe en adscripción provisional. En todo caso el funcionario o funcionaria afectado deberá cumplir los requisitos previstos en la Relación de Puestos de Trabajo.

El Departamento u Organismo donde preste sus servicios la persona solicitante, iniciará la búsqueda de un puesto de trabajo vacante dentro de su ámbito organizacional.

En el caso de que el Ministerio u Organismo no disponga de puesto vacante en los términos expuestos anteriormente o por la organización de los servicios no considere oportuno hacer uso de una vacante existente, procederá a tramitar un cambio de adscripción del puesto de trabajo que ocupa el funcionario o la funcionaria a un ámbito funcional distinto, con modificación, en su caso, de la Unidad orgánica de la que dependa dicho puesto, mediante el procedimiento regulado en el artículo 61 del Reglamento general de ingreso del personal al servicio de la Administración General del Estado y de provisión de puestos de trabajo y promoción profesional de los funcionarios civiles de la Administración General del Estado, aprobado por el Real Decreto 364/1995, de 10 de marzo.

Cuando exista la necesidad de un cambio de ámbito geográfico y se trate de un funcionario o una funcionaria con destino definitivo en un Ministerio u Organismo Público que no contara con Unidades en un ámbito geográfico que se adecúe a las condiciones geofísicas y medioambientales señaladas en el informe médico aportado, este cambio de adscripción del puesto se efectuará, cuando se trate de un Organismo Público, a una Unidad dependiente del Ministerio al que dicho Organismo se encuentre adscrito, o a cualquiera de los Organismos Públicos adscritos a ese Ministerio.

En el caso excepcional de que ninguno de los ámbitos señalados contara con dependencias en un ámbito geográfico adecuado, pondrá este hecho en conocimiento de la Dirección General de la Función Pública, mediante comunicación dirigida a la Subdirección General de Gestión de Procedimientos de Personal y, por el citado Centro Directivo se determinará una Unidad orgánica a favor de la cual se tramite un cambio de adscripción del puesto de trabajo que ocupa la persona solicitante.

Si el puesto que ocupa resulta imprescindible en la estructura del Ministerio u Organismo, o si por razones organizativas se considerase más adecuado poner a disposición otro puesto vacante, deberá comunicarlo a la Dirección General de la Función Pública que determinará la Unidad a la que dicho puesto deberá ser desconcentrado. Una vez se realice la correspondiente desconcentración, la Dirección General de la Función Pública resolverá directamente el traslado por motivos de salud.

Una vez determinado el ámbito organizacional del que va a depender el puesto tras la movilidad y con carácter previo a que se dicte la resolución de traslado, se recabará por el Ministerio u Organismo al que va a ser destinado el interesado el informe del Servicio de Prevención de Riesgos Laborales, sobre la idoneidad y compatibilidad de las funciones a desempeñar, con el estado de salud de la persona solicitante a fin de evitar que el nuevo puesto o las funciones que se adjudiquen al mismo tras su cambio de adscripción puedan ser igualmente perjudiciales para la salud de la persona interesada.

4. Terminación

4.1 Órganos competentes y plazo de resolución del procedimiento.

El plazo máximo para dictar resolución será de tres meses, salvo que para llevar a efecto la movilidad, sea necesaria la creación, modificación o desconcentración de un puesto, en cuyo caso el plazo de resolución podrá alcanzar los seis meses.

En el caso de identificarse un puesto adecuado para efectuar el traslado en el ámbito del Departamento u Organismo, en que se encuentra destinada la persona solicitante, el Órgano competente en materia de personal en dicho ámbito dictará resolución de traslado, poniendo fin al procedimiento.

En el caso de que el traslado se efectuara a un puesto dependiente de un Departamento Ministerial diferente a aquel en que se encuentra destinado el interesado, la resolución será dictada por la Dirección General de la Función Pública, por delegación de la Secretaría de Estado de Función Pública.

A tal fin, el Departamento que ha tramitado el procedimiento, remitirá a la Dirección General de la Función Pública, con la antelación suficiente que permita que la resolución se dicte en plazo:

– Copia de la solicitud y de la documentación aportada por el interesado para el inicio del procedimiento.

– Informe del Servicio de Prevención de Riesgos Laborales en relación con el puesto de origen del interesado en los supuestos en los que la motivación se base en la incidencia negativa del puesto de trabajo en el estado de salud del propio funcionario o de la propia funcionaria.

– Comunicación de la necesidad de un cambio de adscripción del puesto que ocupa el funcionario o la funcionaria, o puesta a disposición de una vacante adecuada a fin de que la Dirección General de la Función Pública determine el ámbito organizacional al que ha de ser adscrito.

– Una vez señalado por la Dirección General de la Función Pública el ámbito al que ha de efectuarse el cambio de adscripción del puesto, o la desconcentración del puesto vacante, se procederá al inicio de la tramitación del procedimiento que corresponda por parte del Ministerio solicitante.

– Será necesario igualmente el informe del Servicio de Prevención de Riesgos Laborales correspondiente que indique que las funciones y nueva ubicación del puesto no resultan perjudiciales para la salud del interesado.

Una vez dictada resolución correspondiente por la Dirección General de la Función Pública, por delegación de la Secretaría de Estado de Función Pública, se dará traslado de la misma al Ministerio que ha tramitado el procedimiento, a fin de que éste efectúe la notificación al interesado y al nuevo Ministerio de destino.

4.2 Plazos posesorios.

Si el traslado no implica cambio de residencia de la persona solicitante, el cese y la toma de posesión deberán producirse en el plazo de
tres días hábiles desde la notificación de la Resolución de traslado a la
persona solicitante; si implica cambio de residencia acreditado, este
plazo será de un mes.

El puesto adjudicado, tendrá carácter irrenunciable, la solicitud de
este traslado implica la aceptación por parte de la persona solicitante
de un puesto de nivel de complemento de destino y específico iguales o inferiores a los del puesto que tiene con carácter definitivo o a
aquel que ocupa en adscripción provisional y en la localidad que la
Administración determine a la vista de las condiciones geofísicas o
medioambientales señaladas en el informe médico oficial aportado por
la persona solicitante o del listado de centros de rehabilitación aportado por la Entidad Gestora de la Seguridad Social que corresponda.

5. Efectos

El puesto de trabajo asignado lo será con carácter definitivo cuando se ocupara con tal carácter el puesto de origen.

Los funcionarios y las funcionarias con destino definitivo que obtengan puesto por este procedimiento deberán permanecer en el puesto de trabajo asignado un mínimo de dos años, salvo en los supuestos del artículo 41.2 del Reglamento general de ingreso del personal
al servicio de la Administración General del Estado y de provisión de
puestos de trabajo y promoción profesional de los funcionarios civiles
de la Administración General del Estado, aprobado por el Real Decreto
364/1995, de 10 de marzo.

6. Recursos

Contra las resoluciones dictadas en estos procedimientos que pondrán fin a la vía administrativa, podrá interponerse recurso potestativo

de reposición ante el mismo órgano que dictó la resolución o recurrir directamente ante el orden jurisdiccional contencioso-administrativo.

7. Seguimiento

El órgano competente en materia de personal del Departamento u Organismo remitirá a la Dirección General de la Función Pública (Subdirección General de Relaciones Laborales), relación semestral de todas las resoluciones sobre traslados por razones de salud producidas en el periodo, sea cual fuere el sentido de las mismas.

De esta información se dará conocimiento a los representantes de las Organizaciones Sindicales presentes en el Grupo de Trabajo de Movilidad del Personal Funcionario.

Solicitud de traslado por razones de discapacidad sobrevenida o de agravación del grado de discapacidad de los funcionarios y funcionarias de carrera, así como por motivos de salud y posibilidades de rehabilitación de los funcionarios y funcionarias de carrera, sus cónyuges o los hijos e hijas a su cargo

DATOS PERSONALES:

Primer apellido:		Segundo apellido:		Nombre:	
D.N.I.:	Cuerpo o Escala de pertenencia:			N.R.P.:	
Domicilio a efectos de notificaciones (calle, número, portal, escalera, piso):					
C. Postal:	Localidad:			Provincia:	
Teléfono fijo:	Teléfono móvil:		Correo electrónico:		

MOTIVO EN EL QUE SE BASA LA SOLICITUD:

A.   ☐ **Discapacidad o agravación del grado de discapacidad de la persona solicitante, sobrevenida a la incorporación al puesto de trabajo que ocupa.**

B.   ☐ **Motivos de salud:**   C.   ☐ **Posibilidades de rehabilitación:**

De la persona solicitante ☐   De la persona solicitante ☐

Del cónyuge de la persona solicitante. ☐   Del cónyuge de la persona solicitante ☐

De los hijos o hijas a cargo de la persona solicitante ☐   De los hijos o hijas a cargo de la persona solicitante ☐

SOLICITO: El traslado por motivos de salud, para lo que aporto toda la documentación justificativa de los motivos de mi solitud en sobre cerrado y con la anotación de que contiene **datos de carácter confidencial**, que habrán de ser revisados únicamente por los gestores de personal que tengan que actuar en relación con la tramitación de este procedimiento, y acepto el puesto que me sea adjudicado en los términos establecidos en la Resolución de la Secretaría de Estado de Función Pública por la que se dictan las reglas aplicables para la concesión de traslados a los funcionarios y funcionarias de carrera de la administración general del estado por razones de discapacidad sobrevenida o de agravación del grado de discapacidad, así como por motivos de salud y posibilidades de rehabilitación de los funcionarios y funcionarias de carrera, sus cónyuges o los hijos e hijas a su cargo.

☐ **DECLARO** no estar afectado/a por una incapacidad temporal. (Marcar solo en el caso de que la solicitud se base en daños derivados del trabajo o de las condiciones de trabajo).

En .... a .... de .... de 20 ....

Fdo:

DIRIGIDO A: (Indicar la dirección completa de la Unidad que ostente las competencias en materia de personal del Ministerio, Delegación del Gobierno u Organismo en el que se encuentre destinado)
Unidad:
....
Ministerio/Organismo/Delegación del Gobierno:
....
Calle/Plaza:
....
Localidad: .... CP: ....

7. ACUERDO DE 29 DE JUNIO DE 2023, DEL PLENO DEL CONSEJO GENERAL DEL PODER JUDICIAL, SOBRE LA ADAPTACIÓN DE LA REGULACIÓN DE LA REDUCCIÓN DE JORNADA, COMO CONSECUENCIA DE LA ACTUAL REDACCIÓN DEL ARTÍCULO 49 E) DEL REAL DECRETO LEGISLATIVO 5/2015, DE 30 DE OCTUBRE, POR EL QUE SE APRUEBA EL TEXTO REFUNDIDO DE LA LEY DEL ESTATUTO BÁSICO DEL EMPLEADO PÚBLICO, DADA EN VIRTUD DE REFORMA OPERADA POR LA DISPOSICIÓN FINAL 4 DEL REAL DECRETO-LEY 2/2023, DE 16 DE MARZO

(BOE núm. 215, 8 de septiembre de 2023)

El Pleno del Consejo General del Poder Judicial, en su reunión del día 29 de junio de 2023, como consecuencia de la actual redacción del artículo 49 e) del Real Decreto Legislativo 5/2015, de 30 de octubre, por el que se aprueba el texto refundido de la Ley del Estatuto Básico del Empleado Público, dada en virtud de reforma operada por la disposición final 4 del Real Decreto-Ley 2/2023, de 16 de marzo, ha acordado de conformidad con lo dispuesto en el artículo 373.7 de la Ley Orgánica 6/1985, de 1 de julio, del Poder Judicial la adaptación de la regulación de la reducción de jornada contemplada en el apartado h) del artículo 223 del Reglamento 2/2011, de 28 de abril, de la Carrera Judicial, en virtud de la cual:

1. Se concederá, como máximo, hasta que el hijo o persona que hubiere sido objeto de acogimiento permanente o guarda con fines de adopción cumpla los 23 años. A estos efectos, el mero cumplimiento de los 18 años del hijo o del menor sujeto a acogimiento permanente

o a guarda con fines de adopción, no será causa de extinción de la reducción de la jornada, si se mantiene la necesidad de cuidado directo, continuo y permanente.

2. No obstante, cumplidos los 18 años, se podrá reconocer el derecho a la reducción de jornada hasta que la persona a su cargo cumpla los 23 años en los supuestos en que el padecimiento del cáncer o enfermedad grave haya sido diagnosticado antes de alcanzar la mayoría de edad, siempre que en el momento de la solicitud se acrediten los requisitos establecidos en los párrafos anteriores, salvo la edad.

3. Asimismo, se mantendrá el derecho a esta reducción de jornada hasta que la persona a su cargo cumpla 26 años si, antes de alcanzar los 23 años, acreditara, además, un grado de discapacidad igual o superior al 65 por ciento.

8. ACUERDO DE 28 DE SEPTIEMBRE DE 2023, DEL PLENO DEL CONSEJO DEL PODER JUDICIAL, SOBRE ADAPTACIÓN DE PERMISOS CONTEMPLADOS EN EL REAL DECRETO LEGISLATIVO 5/2015, DE 30 DE OCTUBRE, POR EL QUE SE APRUEBA EL TEXTO REFUNDIDO DE LA LEY DEL ESTATUTO BÁSICO DEL EMPLEADO PÚBLICO

(BOE núm. 241, 9 de octubre de 2023)

El Pleno del Consejo General del Poder Judicial, en su reunión del día 28 de septiembre de 2023, como consecuencia de la actual redacción de los artículos 48.a) y l) y 49.g) del Real Decreto Legislativo 5/2015, de 30 de octubre, por el que se aprueba el texto refundido de la Ley del Estatuto Básico del Empleado Público, dada en virtud de reforma operada por el artículo 128 del Real Decreto-ley 5/2023, de 28 de junio, ha acordado de conformidad con lo dispuesto en el artículo 373.7 de la Ley Orgánica 6/1985, de 1 de julio, del Poder Judicial:

a) La adaptación de la regulación de los permisos contemplados en los artículos 223.d) y 217 del Reglamento 2/2011, de 28 de abril, de la Carrera Judicial.

b) La introducción de un nuevo permiso por motivo de conciliación de la vida personal, familiar y laboral para la Carrera Judicial, contemplado en el citado artículo 49 g) del Real Decreto Legislativo 5/2015, de 30 de octubre, por el que se aprueba el texto refundido de la Ley del Estatuto Básico del Empleado Público.

En virtud de lo anterior, se concederá a los integrantes de la Carrera Judicial:

– Un permiso de cinco días hábiles por accidente o enfermedad graves, hospitalización o intervención quirúrgica sin hospitalización que precise de reposo domiciliario del cónyuge, pareja de hecho o parientes hasta el primer grado por consanguinidad o afinidad, así como de cualquier otra persona distinta de las anteriores que conviva con el miembro de la Carrera Judicial en el mismo domicilio y que requiera el cuidado efectivo de aquélla.

Cuando se trate de accidente o enfermedad graves, hospitalización o intervención quirúrgica sin hospitalización que precise de reposo domiciliario, de un familiar dentro del segundo grado de consanguinidad o afinidad, el permiso será de cuatro días.

– Un permiso de quince días hábiles por registro o constitución formalizada por documento público de pareja de hecho.

– Un permiso parental para el cuidado de hijo, hija o menor acogido por tiempo superior a un año, hasta el momento en que el menor cumpla ocho años para los integrantes de la Carrera Judicial. Este permiso se configurará en los mismos términos, extensión y efectos en los que ha sido reconocido en el artículo 49.g) del EBEP, su aplicación se asimilará a la que se realice a los miembros de la Administración General del Estado y se disfrutará del modo siguiente:

• La competencia para su concesión corresponde al presidente del Tribunal Superior de Justicia correspondiente, de la Audiencia Nacional o del Tribunal Supremo. Y ello en virtud de lo dispuesto en el artículo 226.1 del Reglamento de la Carrera Judicial en relación con el artículo 377 de la Ley Orgánica del Poder Judicial.

• Tendrá una duración no superior a ocho semanas, continuas o discontinuas, podrá disfrutarse a tiempo completo, o en régimen de guarda a tiempo parcial, cuando las necesidades del servicio lo permitan y conforme a los términos que reglamentariamente se establezcan.

• La comunicación sobre la especificación de las fechas de inicio y fin de su disfrute o, en su caso de los periodos de disfrute a que se refiere el párrafo cuarto del artículo 49.g) del EBEP, deben dirigirse al presidente del Tribunal Superior de Justicia correspondiente, de la Audiencia Nacional o del Tribunal Supremo, quien valorará las necesidades del servicio. Cuando las necesidades del servicio lo permitan,

corresponderá a la persona progenitora, adoptante o acogedora especificar la fecha de inicio y fin del disfrute o, en su caso, de los periodos
de disfrute debiendo comunicarlo al presidente del Tribunal Superior de
Justicia correspondiente, Audiencia Nacional o Tribunal Supremo, con
una antelación de quince días y realizándose por semanas completas.

• En el supuesto en el que concurran en ambas personas progenitoras, adoptantes, o acogedoras, por el mismo sujeto y hecho causante,
las circunstancias necesarias para tener derecho a este permiso en los
que el disfrute del permiso parental en el período solicitado altere seriamente el correcto funcionamiento de la unidad de la administración,
dicha mención a la «unidad de la administración» debe entenderse
referida al partido judicial u órgano jurisdiccional colegiado en el que
ambas presten servicios, correspondiendo en ese caso al Presidente del
Tribunal Superior de Justicia correspondiente, de la Audiencia Nacional
o del Tribunal Supremo acordar lo que proceda en lo relativo al posible
aplazamiento de la concesión del permiso por un período razonable,
justificándolo por escrito y después de haber ofrecido una alternativa
de disfrute más flexible.